「過干渉」をやめたら子どもは伸びる

西郷孝彦　尾木直樹　吉原 毅
Saigo Takahiko　Ogi Naoki　Yoshiwara Tsuyoshi

小学館新書

はじめに――校則も定期テストもない公立中学校を訪れて

尾木直樹（教育評論家）

3年間、生徒全員が幸せに過ごすことができる公立中学校がある。

こんなことを言ったら、みなさんに信じてもらえるでしょうか？

いじめ、不登校、ブラック校則にブラック部活。世間で取り上げられる中学校の話題は、どれも暗いものばかりで、「学校教育は行き詰まっている」と感じている人が多いかもしれません。中学校にあがる前のお子さんをお持ちの方は、どうしたらいいのかと不安でいっぱいではないでしょうか。

3年間、生徒全員が幸せに過ごすことができる公立中学校――。それは東京・世田谷にある区立桜丘中学校のことです。

私もこの中学校のことは、ウワサには聞いていました。

「校則も定期テストもない、変わった中学校がある」

――この程度のレベルでした。

『ウワサの保護者会』（NHK Eテレ／毎週土曜21時30分～ほか）という、小・中学生の保護者のみなさんと子育てや教育について語り合う番組のMCを務めているのですが、実はこの番組で、「特別編」と称して、NHKの高山哲哉アナウンサーと一緒に、桜丘中学校を訪問したのです。２０１９年夏のことです。

行ってみて驚きました。私が想像していたより10倍もすごい学校だったのです。

実際、どんな学校だったのか。あらためてここで、振り返ってみたいと思います。

「学校にいるほうが楽しい」

建物は、何の変哲もない、普通の公立中学校の校舎です。

玄関を入ると、すぐに校長室に案内されたのですが、驚いたのは、その途中の廊下です。テーブルと椅子が数個ずつ置いてあって――それも結構、座り心地が良さそうないい椅子なの――そこで子どもたちが3人、4人と、思い思いに集っていました。

近づいてみると、話しているのは宇宙論や大学で習うような数学論の話。1人はパソコンのキーボードを猛スピードで叩いているし、1人は大学ノートにびっしり文字を書き込んでいます。

内容を理解しようと思って覗き込んでみたものの、高度すぎて私には理解できませんでした。すると、隣にいた西郷孝彦校長が、こう言うんです。

「この子たちは元不登校なんです。教室に入れないので、居心地がいいこの場所で勉強したり議論したりしているんです」

そのことには本当に驚きました。

私も不登校の生徒との接点は多くて、そうした子たちの中に、非常に優秀な子がたくさんいることもよくわかっていましたが、では、いまの学校制度で彼らが能力を発揮できているかというと、必ずしもそうではありません。

何かが突出している子の多くは、その分、普通の子なら難なくこなせることが難しかったりします。能力や才能がデコボコに発達しているんですね。普通のことだと思われていることができないがゆえに、「ほかの人と違う」と、いじめられることも少なくありません。だから生きづらいのです。

ところが、桜丘中学校の廊下では、そういう子どもたちがいきいきしていて、しかも興味のある分野をとことん深め合っている。これはすごいことだと思います。

私は、ひとりの子に話しかけてみました。

「どうして廊下にいるの？」

「家にいても面白くないから」

「あなたは不登校だったの？」

「はい、小学校までは。でもいまは、家にいるより学校のほうが楽しいので、ここに来ています」

彼らは、無理矢理連れてこられたわけではありませんでした。「ここにいなさい」と命じられたわけでもありません。ここにいたいから、自らの意志でいる。とってもシンプルなことです。

ああ、この子にとっては、桜丘中学校の廊下が、〝安心安全の居場所〟なんだな。その

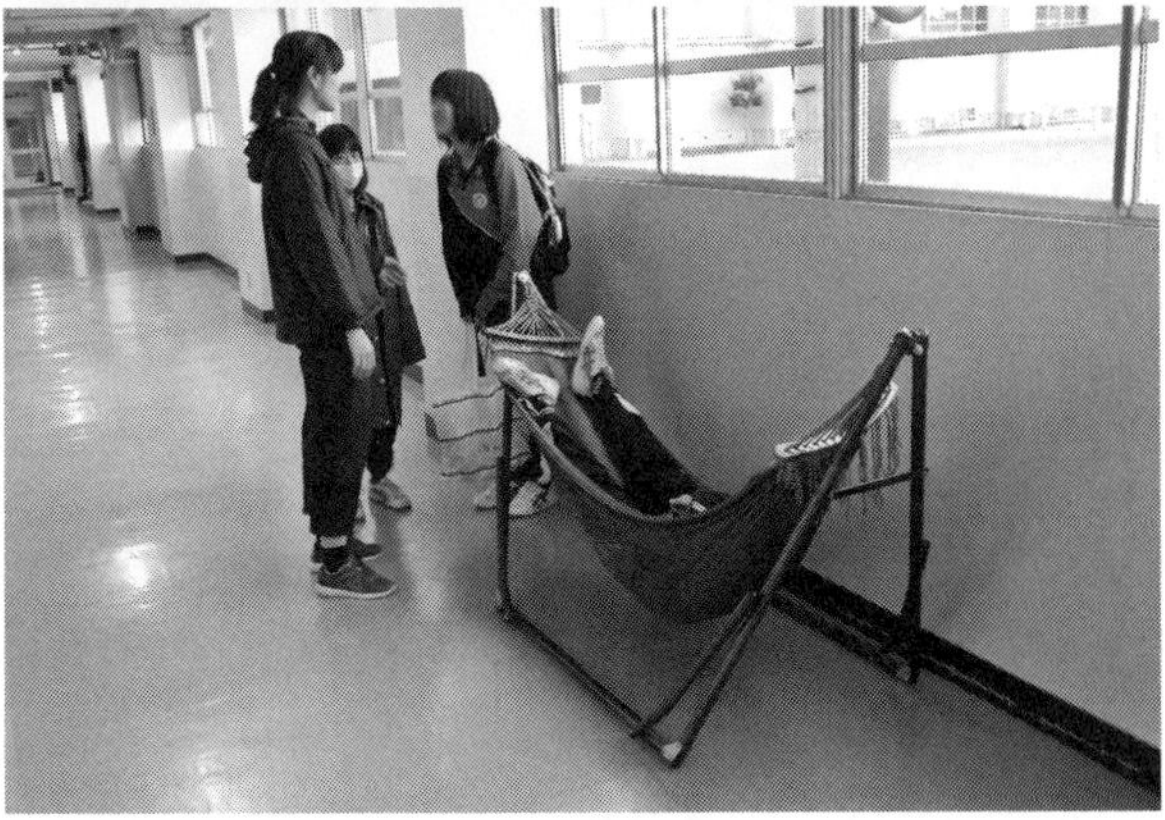

桜丘中学校の校長室前の廊下では、腰を据えて
自学したりハンモックに揺られる生徒も。

ことが伝わってきました。

子どもたちと話している最中、視線の向こうに、何かゆらゆら揺れているものがあるんですね。目をやると、上履きが揺れている。「なんだろう」って思うでしょ？

行ってみると、なんと廊下にハンモックがつってあって、ひとりの男の子が、そこで揺られながら気持ちよさそうに寝ていたんです。

「どうしたの？」

「ぼくはここがいいんです」

何か勉強しているのかと思ったら何のことはない、スマホ（スマートフォン）でゲームをしているのです。

「ここが好きなの？」

「はい！」

とびきりの笑顔を返してくれましたが、そもそも、教室には入れない子たちがここにいるのです。そういう子たちが、自分のことを卑下することなく、笑顔でいるのです。

西郷校長に聞くと、廊下にいる子どもたちは、一日中、ずっとここを離れない子もいれば、授業によっては顔を出す子もいるそうです。その選択は、生徒に任されており、先生たちはそれを見守っています。

空いている時間に、勉強を教えている先生もいましたから、決してほったらかされているわけではないのです。「こうしなさい」と強制もしない。ここに桜丘中学校の特徴があるように思いました。

雨の日の校内放送

職員室ものぞいてきました。

そこである先生に話を聞いたのですが、その先生は、別の学校から桜丘中学校に赴任したということでした。

あるとき、休み時間にこんな校内放送をしたのだそうです。急に雨が降ってきたにもかかわらず、雨の中、外で遊んでいる子どもたちがいました。

「雨が降ってきたので、室内に入りなさい」

するとすぐに、西郷校長から注意されたそうです。

「そんな放送は、やめなさい。雨に濡れるのがイヤな生徒は自分で教室に入るし、濡れても楽しいと思うなら、そのまま遊ばせてあげなさい」

これは非常に重要な視点です。

いまの社会、いまの学校というのは、管理が行き過ぎて、子どもに対して過干渉になっている。このことが子どもの考える力や判断力を奪っているんですね。「子どもの自主性、自立性を重視しよう」という言葉が叫ばれていますが、過干渉な指導では、それらは育ちにくいのです。

先日、ある小学校を訪ねました。校長室に通されて少し驚きました。そこには、「学校とは」と書かれた標語がいくつか、掲げられていました。

一、学校とは静かなところである。

このような、子どもたちを縛り付けるような言葉が並んでいました。

実際、そこの小学生たちを見ていると、先生が、「向こうへ移動しなさい」と命じると、「はい！」と大声で返事をして、動いているのです。一見、指導がよく行き届いているように思う人もいることでしょうが、まるでロボット人形のようでした。その後、小学1年生の体育の授業の様子を目にしたのですが、まるで訓練のように見えました。子どもたちに笑顔はありませんでした。

こういう形式的な管理教育から、子どもたちの考える力が生まれるでしょうか。間違いなく、そうはなりません。西郷校長がこの小学校の子どもたちを見たら、驚いてひっくり返るでしょうね。

インクルーシブ教育

インクルーシブ教育という言葉があります。

ここ数年で、急速に教育現場で広まった感があります。簡単に説明すると、障害がある子どもも、そうでない子どもも、「ともに学ぶ」ということです。

まず、お伝えしておきたいことがあります。インクルーシブ教育は、障害のある子どものためだけのものではありません。子ども一人ひとりの個性や特徴を認めて、そうした多様性を受け入れるという意味です。100人いたら100人の能力を伸ばそう、という考え方です。

習熟度のレベルが低い子に合わせていると、ほかの子が適切な指導を受けられないとか、学習が深まらないとか、以前はそんな意見が出た時期もありますが、これはインクルーシブ教育を誤解しています。実際、きちんとインクルーシブ教育を実践している現場では、むしろ子どもたちの学力がアップしています。

みなさんだってそうですよね？　誰ひとり、同じ人間はいません。

ところがこれまでの学校教育は、生徒をひとつの型に押し込め、そこからはみ出したりこぼれ落ちたりした子たちを、「不良」や「落ちこぼれ」とレッテルを貼って排除してきました。現代ではそれを「不登校児」などと呼び方を変えただけです。

桜丘中学校では、インクルーシブ教育が実践されていました。

つまり、どんな子にも、居場所がありました。

発達障害や知的障害、不登校や帰国子女など、「困難を抱えている生徒」だけに居場所があるのではありません。勉強が好きな子にも、ギターが好きな子にも、部活をがんばっている子にも、そしてもちろん、「普通」といわれる子たちにも、桜丘中学校は大切な居場所になっていました。

では、桜丘中学校は特別なのでしょうか。

ある意味、そうかもしれません。でも、この中学校で行われていることは、ほかの中学校でもすぐにも真似ができることが多いのです。考え方をちょっと変えるだけです。

ではどうしたらいいのでしょうか。

日本の教育の現状

実は2019年11月30日、「桜丘中学校ミライへのバトン～選びたくなる、公立学校とは?～」と題したトークイベントが、東京・世田谷区の東京農業大学の講堂で行われました。主催したのは、世田谷区立桜丘中学校の保護者有志です。

登壇したのは、私をふくめ、桜丘中学校のあり方に賛同する4人。

1人は、城南信用金庫顧問の吉原毅さん。「自由闊達・自主自立」の理念を長年実践する私立中高一貫校の名門・麻布中高を運営する麻布学園理事長の要職を務めます。

そして桜丘中学校の西郷孝彦校長。

ファシリテーター兼司会進行を、教育ジャーナリストとしても長年活躍してきた世田谷区長の保坂展人さんが務めました。

イベントは大盛況でした。定員1000人のところ、キャンセル待ちが出るほどの人気だったそうです。


この人気の背景には、子どもたち、そして日本の教育界が置かれている厳しい現実があります。

学習指導要領が約10年ぶりに改訂され、2020年度から小学校、2021年度から中学校で実施されます。そこで大きく打ち出されているのが、「生きる力」です。子どもたちが主体的に学ぶことを目標に掲げているのですが、実際は、例えば下着の色まで決めるといった理不尽なブラック校則がはびこり、学校側が「子どもを管理する」という姿勢は弱まっていません。

一方で、IMD(国際経営開発研究所)の「世界競争力ランキング2019」では、世界主要国63か国・地域のうち日本は順位を下げ続け、30位。東アジアの中でも、シンガポール、中国、台湾、タイ、韓国の後塵を拝しています。

このままでいいわけありませんよね？

ではどうすべきか。

IMD世界競争力ランキング

2021	2020	2019	国名
1	3	4	スイス
2	6	9	スウェーデン
3	2	8	デンマーク
4	4	6	オランダ
5	1	1	シンガポール
6	7	11	ノルウェー
7	5	2	香港
8	11	16	台湾
9	9	5	アラブ首長国連邦
10	10	3	アメリカ
11	13	15	フィンランド
12	15	12	ルクセンブルク
13	12	7	アイルランド
14	8	13	カナダ
15	17	17	ドイツ
16	20	14	中国
17	14	10	カタール
18	19	23	イギリス
19	16	19	オーストリア
20	22	21	ニュージーランド
23	23	28	韓国
25	27	22	マレーシア
28	29	25	タイ
31	34	30	**日本**
37	40	32	インドネシア

4人で話し合ったことを、ここで紹介します。学校関係者だけでなく、お子さんをお持ちの保護者の方にも、そして日本の教育を憂えるすべての方に、ぜひ参考にしていただけたらと思います。

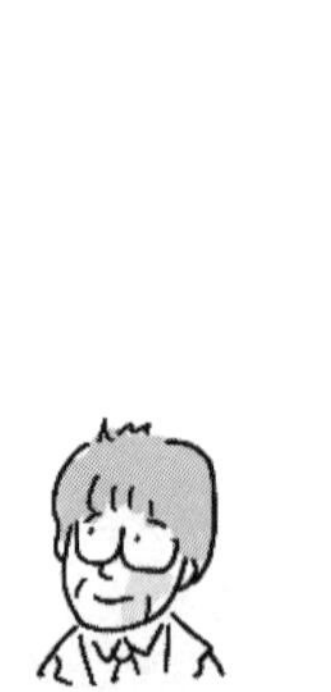

#「過干渉」をやめたら子どもは伸びる　目次

第一章

〝みんなが主役〟の学校づくり

座談会／尾木直樹
西郷孝彦
吉原　毅
進行・保坂展人

「廊下」という居場所

保坂　尾木先生は、テレビ番組の『ウワサの保護者会』（NHK Eテレ）で桜丘中学校を訪問されていましたが、世間の反応はいかがでしたか？

尾木　オンエアされたあと、想像以上に反響が大きくて驚きました。視聴者のみなさんも「こんな公立中学校があるんだ！」と驚かれたのではないでしょうか。

保坂　尾木先生自身はどうご覧になりましたか？

尾木　私も、思っていた以上でした。最初にある程度のイメージを持って訪れたんですが、私の想像していた学校より、10倍もすごかった。本当にびっくりしたんです。その驚きが、今回のイベントにもつながっています。

桜丘中学校は、校則がないとか、服装や髪形が自由だとか、定期テストがないとか、いろんな変わった特徴がありますが、私がいちばん感心した点は、「一人ひとり、子どもが居場所を持っている」ということ。そう、職員室の前の廊下のあのテーブルです。授業に出られない生徒たちが、そこで楽しそうにしていることに驚きました。

西郷　彼らの多くは、小学校や前に所属していた中学校で、不登校でした。
ご存じのように、いま、不登校は社会的問題となっています。中学校の不登校生徒数は、全国で約12万人（11万9687人）。これは生徒数の約3・6％です（文部科学省「平成30年度児童生徒の問題行動・不登校等生徒指導上の諸課題に関する調査結果について」）。

教育評論家
法政大学名誉教授
尾木直樹

世田谷区長
教育ジャーナリスト
保坂展人

麻布学園理事長
城南信用金庫顧問
吉原毅

世田谷区立桜丘中学
校長（当時）
西郷孝彦

しかもその数は、年々増加しているんですね。別の調査では、「不登校傾向にある中学生」は全体の10・2%、約33万人に上ることがわかっています（日本財団／2018年「不登校傾向にある子どもの実態調査」）。文科省の調査の3倍です。中学生の10人に1人が、「不登校傾向」にあるのです。桜丘中学校では、「教室以外の学校の居場所」が廊下になりました。

尾木　たしかに文部科学省は、不登校傾向にある子どもたちの対策として、教室以外の場所を積極的に活用することを推奨しているけれど、たいていの学校は、保健室や相談室です。なぜ廊下に？

西郷　保健室や相談室だと、壁で区切られていますよね？　これだと、ほかの教員や生徒たちから見えない。廊下は、誰からもオープンな空間なので、顔が見える。ここからコミュニケーションも生まれます。

尾木　最初から、廊下をこういう場所にしようと思っていたんですか？

西郷　もともと廊下のテーブルと椅子は、彼らのために用意したものではなかったんです。テスト前に職員室に勉強を教わりにくる生徒のために、「だったら廊下に机と椅子があったらいいよね」と用意されたことがきっかけでした。以前は生徒と教員が、職員室前の廊下の地べたにノートを広げたりしていたんです。それを見かねたある教員が、余っていた机と椅子を運んできてくれたのが始まりです。職員室の前に置かれているので、わからないところがあると、すぐに職員室の先生に質問できるから便利なんですね。

そのうち、テスト勉強や受験勉強の生徒だけでなく、教室に入れない子もやってくるようになりました。いつのまにか、教室に入りづらい子たちの「居場所」になっていたんです。

尾木　でも彼らは授業中も廊下にいますよね。

私も担任をしていた経験がありますから、ついつい、「授業は出なくて大丈夫なの？」、「先生が心配するんじゃない？」と聞いてしまいました。そうしたら、生徒の答えがふるっているんです。「今日は担任の先生に、3時間目と4時間目は出ますと伝えてありますから」と。なるほど、授業に出るかどうかを決めるのも子どもたちなんですね。私も相当大胆な生徒参加を現場で実践してきたつもりでしたが、完全に負けたと思いました。勝ち負けで言うのはおかしいですけどね（笑）。

生きづらい子どもたち

吉原　いまの時代は、みんなと同じじゃなきゃ許さない、という風潮がありますよね？

西郷　「同調圧力」ですね。

吉原　私は常々、そういう風潮はおかしいし、変えていかなければならないと思っているのですが、現実問題として横たわっています。

桜丘中学校では、授業中に廊下にいる子たちに対し、ほかの子どもたちから「あいつらだけずるい」という声は挙がらないのですか？

西郷　おっしゃる通り、いまの日本には、「人と違うこと」をしている人間を批判してもいい、という嫌な空気があります。「なんであいつだけ許されるんだ」と口にする子は、当然出てきます。でも、こういう不毛な批判や不満からは何も生まれません。そこで、逆転の発想をしたんです。特別扱いするからいけないんであって、そうしなければいいわけです。

吉原　どうするのですか？

西郷　「生きづらい子たち」を基準にしたんです。廊下の一件も、「君たちもそうしたいなら、授業中に廊下に出てもいいんだよ」と全校生徒にアナウンスしました。

吉原　なるほど、「普通」にあわせるんじゃなくて、「困っている子」を基準にしてしまう。でも当然、面白がって授業中に廊下に出る子が現れますよね？

西郷　実際、最初の頃は、遊び半分で廊下に来る生徒が何人もいました。でもこれ、やってみるとわかるのですが、結構しんどいんです。廊下には空調設備がないから、夏は30℃を超えてものすごく暑い。で、冬は5℃。足下に暖房器具を置いているのですが、それでも寒い。しかも友だちはみんな教室にいるわけで、話もできない。自分がいない教室で、何が起きているかも気になる。

そうなってくると、教室にいるのがつらいのでなければ、廊下のほうがどう考えたってつまらない。やってみて初めて、そのことに気づくんです。だから廊下にいる必然性や必要性のない生徒は、自然に教室に戻っていきます。もちろん、「あいつらだけずるい」と口にする子どももいなくなります。

廊下にしか居場所を持たない子たちも同じで、ここにいるのが決まりではありません。

強制しているわけでもない。この子たちの中からも、時間が経つと廊下を卒業し、教室に戻る子が出てきます。3学期になる頃になると、廊下はかなり人が減ってきます。

どんな子にも居場所を

保坂　「居場所」というお話が出ましたが、廊下がすべての子どもたちの居場所になるわけではありませんよね？　問題のない子、といったら語弊がありますが、一見普通の子も、さまざまな悩みを抱えています。こういう子どもたちの居場所づくりは、桜丘中学校ではどうされているんですか？

西郷　問題のないように見える子も、いまの社会ではたいへん生きづらくなっています。例えば、勉強が得意、あるいは部活が大好き、こういう子はまだいいのです。ひとつ得意なことや好きなことがあるお陰で、授業や部活といった時間と場所が、自分の居場所になります。ところが、勉強もそれほど好きじゃないし、クラスでさほどうまくいってもいない。部活も参加しているけれど面白くない。そうなってくると、行き場がなくなってくるんです。だったら、勉強や部活以外にも、さまざまなコミュニティを学校の中に用意しようと考えました。

保坂　具体的にはどんなコミュニティなんですか？

西郷　ひとつはギター教室。「炎のギター教室」と呼んでいるのですが、毎週土曜日に開催していて、私も講師のひとりです。この教室に集まる子たちは、クラスも部活も違えば、学年も異なります。ここで、まったく新しい人間関係を築くことができます。桜丘中学校の文化祭「さくらフェスティバル」では、バンドを組んで発表することもあり、自信にもつながっているように思います。

尾木　西郷校長も出られると聞きましたが。

西郷　はい。私も何度か、子どもたちと一緒にバンドを組んで、披露しました。

ほかにも、「放課後の補習教室・英検サプリ」（週2回）、「放課後のボーカルレッスン」（週1回）、「放課後の料理教室」（週1回）と、さまざまなアクティビティを用意しています。

そして月1回開催しているのが、「夜の勉強教室」です。ここでは、地域の「子ども食堂」と連携し、勉強後に1食100円で夕飯も食べられます。子どもたちの中には、家の事情で、ひとりで夕飯を食べざるを得ない子もいれば、家にいると、両親が不仲だったり、

「勉強しろ」と親から言われ続けてストレスをため込んでいる子もいます。抱えている問題は人それぞれですが、共通しているのは、どの子にも、「安心できる居場所」が必要だということ。「夜の勉強教室」が、子どもたちにとってそういう場所のひとつになればいいと思って、保護者の方や地元有志の方々の協力を得て、2016年にスタートしました。「同じ釜の飯を食べる」という言葉がありますが、「夜の勉強教室」で一緒に夕飯を食べると、不思議と子どもたち同士で仲よくなるんです。昼間のクラスだと溶け込めない子も、ここだとうまく関係を結べるというケースが多々あります。

私にとってもそうですね。校長室は常時、扉を開けていて、いつでも誰でも入っていい場所にしているのですが、問題を抱えていても、自分から校長室に入って来られない子がいます。そういう子たちとも、「夜の勉強教室」でおしゃべりすることができるので、いろいろな生徒のことを知る、いい機会になっていますね。

スマホの持ち込みも自由

吉原　桜丘中学校では、チャイムも鳴らないと聞きました。

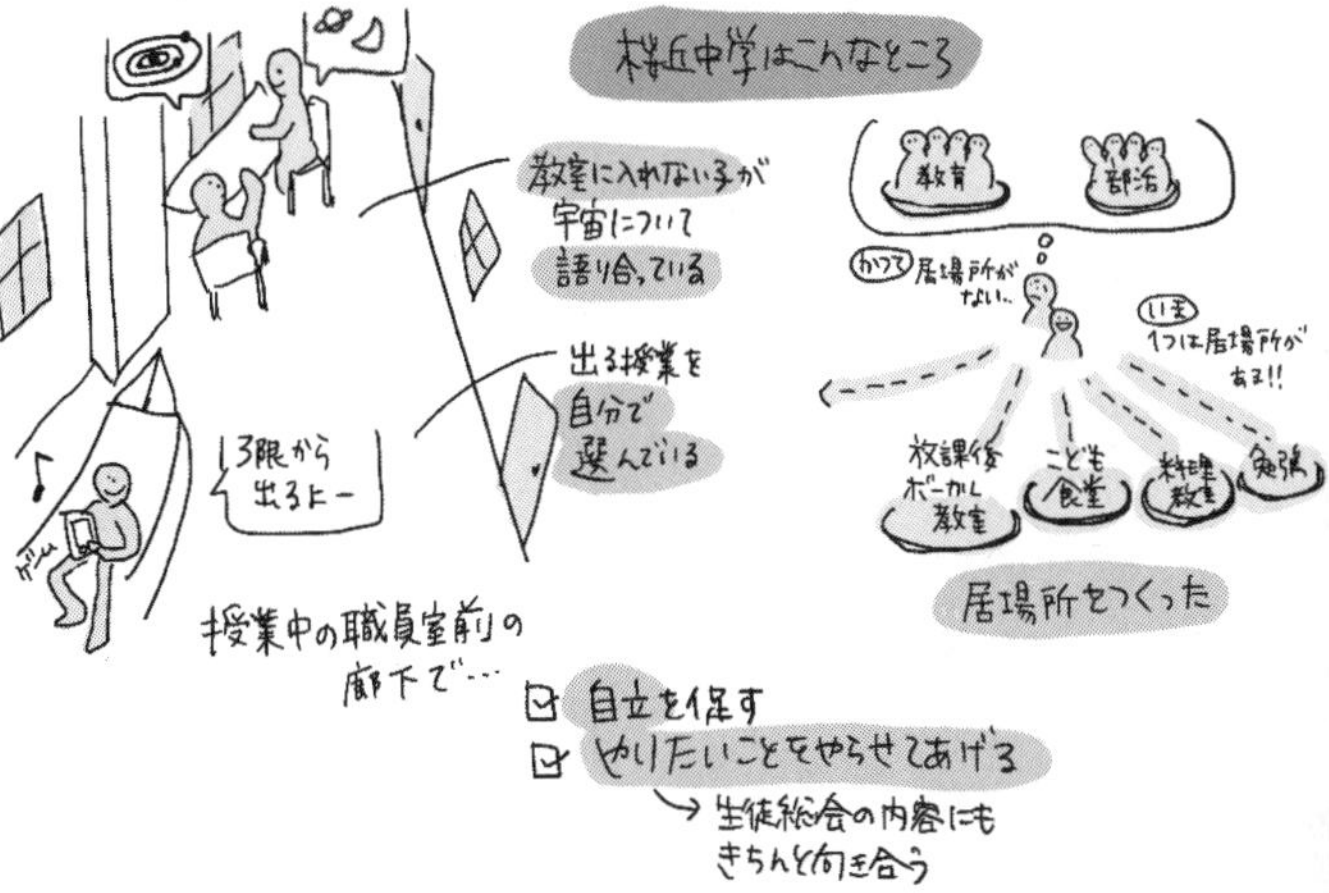
桜丘中学はこんなところ
教室に入れない子が宇宙について語り合っている
出る授業を自分で選んでいる
3限から出るよー
ゲーム
授業中の職員室前の廊下で…
教育
部活
かつて
居場所がない…
いま
1つは居場所がある!!
放課後ボーカル教室
こども食堂
料理教室
勉強
居場所をつくった
自立を促す
やりたいことをやらせてあげる
→生徒総会の内容にもきちんと向き合う

尾木　これは私も実際に目にしました。チャイムの音に過敏な子どもがいるから、という配慮なんですよね?

西郷　教室の椅子や机の脚にも、ひいたときに音がうるさくないように古いテニスボールをはめているのですが、それと同じ理由です。聴覚過敏の子にとっては、多くの人にとって気にならないような音が耐えられなかったりします。例えば運動会のピストルの音も苦手。そんな聴覚過敏の生徒にとっては、毎日のチャイムは耐えがたいものです。

尾木　チャイムが鳴らないと、子どもたちはどうするのかなと思って見ていました。チャイムが鳴らないから、授業が始まってからもダラダラ入ってくるのかと思っていたら……。

西郷　思いのほか、ちゃんとしているんです。

尾木　そうなんです！　時間になる前にピタリと教室に入っている。それも慌てる雰囲気でもなく自然体。私は、法政大学で教えてきましたが、法政大はキャンパス全体にチャイムが鳴ります。それなのに、5分くらい経ってから入ってくる学生もいますよ。大学生は完全に負けていますね。桜丘中学校の子どもたちは、本当に自立していると思いました。

西郷　そう言ってもらえると誇らしいですね。

尾木　スマホの件についても、驚きました。公立中学校でスマホの持ち込みを自由にしている地域はあまりないと思うんですが、ここでは自由なんですね。

西郷　これには前段があります。ある時、読字障害の子どもがうちの学校に相談にやってきたことがあったんです。「文字が読めないので、授業中に読み上げソフトの入ったタブレットを使いたい」と言うんですね。入学するはずだった学区の中学校では、「1人だけにタブレットの使用は認められない」と断わられたそうなんです。

吉原　まさに「同調圧力」ですね。このあたりが日本の教育の杓子定規なところですね。

西郷　実際、桜丘中学校でも頭を悩ませました。この子にとってタブレットが必要なことは明らかなのですが、この子だけ特例で認めたら、ほかの子から「なんであの子だけ」と文句が出ます。でも、タブレットを使えなかったら、この子は勉強ができない。インクルーシブ教育の観点からも、やっぱりおかしい。そこで、まずはこの子のいるクラスだけ、タブレットの使用を全員許可することにしたんです。

吉原　どうなりましたか？

西郷　最初は、クラスの何人か、タブレットを持ち込んでゲームをやっていました。でもそのうち、飽きるんですね。体育の授業の時は、紛失してはいけないので、教員に預けるのですが、これもまた面倒だったようです。最終的には、必要な子しかタブレットを学校に持ってこないようになり、不平不満も漏れませんでした。「これならいける」と、タブレットの持ち込みを全校で自由にし、そのうちスマホも許可しました。

子どもたちを信じて

保坂　世間では、10代のスマホは悪のように考えられていて、犯罪やいじめにも結びつくと恐れています。

西郷 スマホの持ち込みを解禁する前、たしかに桜丘中学校でもグループラインで悪口を言い合って、それがいじめに発展するということもありました。友だちの写真を勝手にネット上に公開してしまったり、他校の生徒とネット上で揉めたりということも。

でも、なぜそんなことが起きてしまうのかといえば、子どもたちがスマホの危険性を充分に認識していないから。学校側にしてみれば、学校の中で「スマホ禁止」としてしまえば、スマホで生じる問題は生徒や家庭の責任になります。スマホOKにしてしまうと、今度は問題が起きたときの責任も学校がとらなければならなくなる。それがイヤなのでしょう。

保坂 たしかに、スマホ禁止としてもスマホの問題はなくなりません。では、どう解決したのですか？

西郷 桜丘中学校では、スマホやタブレットの持ち込みをOKにするかわりに、専門家を定期的に呼んで話を聞く機会を作るといった、スマホの使い方やネットリテラシー（インターネットを適切に使いこなすための知識やスキル）に関する教育を徹底するようにしました。そうしたら、それまで起こっていた問題がぴたりと止んだのです。子どもたちがスマホで問題を起こしていたのは、単なる知識の不足から来ていたんです。

尾木　実際、私が桜丘中学校に行ったとき、子どもたちは休み時間中、スマホで遊んでいました。最初のうちは、スマホの持ち込みがＯＫとは知らなかったので、子どもたちに、「え？　スマホを持ってきていいの？」と聞いてしまいました。そうしたら「はい」って言うでしょ？「もしかして、授業中もスマホで遊んじゃうんじゃないかな」と思って観察していたんです。ところが、授業が始まった途端にさっと片付けた。ちゃんとわかっているんですね、子どもたちは。

西郷　私も子どもから教えられました。頭ごなしに、ああしろ、こうしろと言っても、子どもたちは反発して言うことを聞きません。これまでの学校教育は、子どもが反発すると、さらに力で押さえ込もうとしてきました。校則でがんじがらめにするのもそのひとつで、教員側が子どもを信じていない。でもね、信じてあげれば、子どもはちゃんとやるんです。むしろ、ああしろ、こうしろと過干渉になることで、子どもたちから「考える力」を奪っている。

私はこんなふうに思っているんです。人間には本来、勉強しようとか、がんばろうとか、善人になろうとか、そういったよりよく生きたいという気持ちが生まれながらに備わっている。教え込んだからできる、ということではないのです。ですから、子どもがそうしたプラスの感情を出しやすいような環境を作ってあげさえすれば、子どもは自然としっかりしていくんです。うちの生徒たちは、ぼくなんかよりよほどしっかりしてるんじゃないかと思うことがあります。たまに子どもから「校長、しっかりしてね」と注意されますしね。

「自由」に戸惑う子ども

吉原　私もEテレの『ウワサの保護者会』を観たのですが、子どもたち、それに先生たちの表情が明るいことに気づきました。校則で縛っていない、というのが大きいかもしれませんね。私が理事長を務める麻布学園にも、実は校則がありません。創立以来、「自由闊達・自主自立」を校風としてやってきました。

私が麻布学園に入学したのは、1967年のことですが、校則がないから何をしてもいい。学校帰りに喫茶店に寄ってもいいし、渋谷に映画を見に行ってもいい。何をしても学校からはとがめられませんでした。入学したての中学1年生のときには、「あ、本当にいいんだ」とびっくりしたものです。学校から信頼されているという気持ち。それはいまも変わりません。そういうところからみると、西郷校長がやっていることに、すごく親しみを持ちました。

桜丘中学校の子たちはどうですか？　入学したての頃は、「自由」であることに驚くんじゃないですか？

西郷　驚くだけじゃなくて、騒いだり暴れたりすることもあります。

尾木　どうなるんですか？

西郷　入学してきた1年生に、「この学校は何をしてもいいんだよ」と言うと、小学校時代に教員から指示されることばかりに慣れてきた子どもたちは、戸惑うばかりで、なかなかその言葉を信じようとしないんです。で、どうなるかというと、小さい子どもと同じで、試し行動をとるんです。「そんなことを言っても、こうしたら先生は怒るはず」ということをあえて実行します。授業中にスマホをいじったり、漫画を読んだり、授業中に大声を出したり、立ち歩いたり、隣の子をこづいたり、紙飛行機を飛ばしたり……。

ですが、ここで頭ごなしに叱ってしまうと、表面上は静かになりますが、もう二度と、教員を信じようとしなくなります。だから1年の担当教員には、「1年生はいま、私たち大人を試しているのだから、絶対に怒らないで。愛情を持って接しよう」と話しています。実際、1年生の授業を見て「学級崩壊だ」と言う人もいます。でもそういう外野の声に動じずに、グッとこらえて──実際には「学級崩壊だなんて言われて悔しいです」と涙を浮かべる教員もいるのですが──子どもたちを信じて愛情深く接していると、徐々に落ち着いてきて、3年生になると、

桜丘中に入った1年生は
まず試し行動をとる
この学校は
何をしても
いいんだよ
授業中
マンガ
昨日さー!!
大声で
しゃべる
怒らないで
愛を持って
接する
戸惑い→試し行動をとる→自ら気づく

こちらが驚くほど大人になっています。

尾木　実際、3年生の教室を拝見しましたが、高校生や大学生のような落ち着きを感じました。もし何も知らずに教室をのぞいたら、中学3年生だとは思えないかもしれませんね。

問題だらけの成果主義

吉原　桜丘中学校の子どもたちの表情が明るい理由がわかりました。「何をしてもいい」という自由が確保されていることが、やはり大きいんですね。

西郷　そうだと思います。

吉原　規則で行動を縛るということについて、私もいろいろと思うところがあります。

産業革命以降、顕著なのですが、近代社会では、規則を作って管理することが当たり前になっていきます。同じ製品を大量生産するためには、管理が手っ取り早かったのでしょう。管理はやがて、20世紀の終わりになって「成果主義」へと変化していきます。例えば会社では、人を競わせ、「評価」という飴と鞭で脅かす。会社は、ルールでもってルール違反を処罰し、管理します。実はこれ、管理する側にとって楽なのです。ルールさえ決めて、そこからはみ出した者を罰すればいいわけですから。でも、これをやると人間はどんどんダメになります。もちろん組織もダメになります。

実際、バブル崩壊後の日本企業は、アメリカ型の成果主義を積極的に導入しました。結果どうなったか。逆に企業が弱体化してしまったんです。最近ようやく、成果主義はろくなモノじゃないという理解が広まってきて、成果主義を取り入れていたトヨタも、やがてやめました。富士通も成果主義で大失敗してやめた。規則でがんじがらめにし、成果だけを求めると、人間が小粒になるんです。「会社が決めたルールを守っていればいい」と、社員は物事を自分の頭で考えなくなる。これでは新しいアイデアもイノベーションも生まれません。

実は学問的にも成果主義はおかしい、ということが証明されているんです。リチャード・セイラーは2017年にノーベル経済学賞を受賞した行動経済学者ですが、働いている人間がいちばん喜ぶのは、お金やモノではなく、「ありがとう」という感謝の言葉だというんですね。成果主義は、感謝や共感ではなく、お金やモノで縛るシステムですので、行動経済学の観点から見てもやはりおかしいのです。

「自由な教育」を受けてきた社員は伸びる

保坂　では、いまの企業は、どんな人材を求めているのでしょうか。

吉原　自分の頭で考えて行動できる人。一言で言うと、そういう人材です。

保坂　そういう人は減っているんじゃないですか？

吉原　そうなんです。いま、会社に入ってくる若者たちは、総じて元気がありません。おとなしすぎると感じます。何かにつけて「人事部はどう評価するのですか？」と聞いてくる人もいます。「そこを気にするのではなく、もっと自分の思った通りに仕事をしてもいいんじゃないかなあ」と言っていますが……。このまま自分の頭で考えて行動できる人が減っていくと、日本社会は大変なことになります。いや、もうなっています。

保坂　なぜ「自分の頭で考えて行動できる人」が減ってしまったのでしょうか？

吉原　やはり学校教育でしょう。せっかく、企業の側が行き過ぎた管理や成果主義を改めているというのに、学校は依然として変わらないままです。企業の成果主義が、遅れた形で学校教育の中に入り込んで、そのまま残ってしまった。

自分の若い頃を思い出してもそう思うのですが、当時は、馬鹿なことをやったとしても、「コラッ！」と一喝される程度で、大目に見てもらえた。学校にはバンカラな気風が残っていたように思います。しかしいまは、何でもかんでも点数化する。内申点という名で徹底的に管理します。子どもたちも内申点が人質に取られているので、失敗が許されません。学校側にしても、ちょっとでも何か問題が起これば、「管理不行き届きだ！」と学校や教員が責められる。そうしてますます生徒への管理や締め付けが厳しくなるという悪循環に陥っています。ブラック校則もそういう流れから誕生したのではないでしょうか。

保坂　自由な教育、個性を大事にする教育はいいけれど、それで社会に通用するのか。こんな指摘をする人がいます。もしかしたら、成功体験がある人ほど、そういう感想を持つのかもしれません。自分たちは、管理教育と受験戦争を勝ち抜いてきた、と。そこに自信があるので、自分たちの受けてこなかった「自由な教育」に対して、どこか反発を感じてしまう。

吉原　そうかもしれませんね。でも実際の社会では、むしろ「自由な教育」を受けてきた社員のほうが伸びます。会社もそういう人材を求めています。

保坂　自分の意見を持って、自分で挑戦し、違ったらまた引き返す。そういうことだと思うのですが、おそらく日本の社会は、そういうことに対して臆病になっているのでしょう。学校の現場も、そんな空気を反映してしまっています。

デコボコがあっていい

尾木　実際に桜丘中学校の教室にうかがって、掲示物が少ないことにも驚きました。教壇があるほうには、まったく掲示物がありませんね。

西郷　ええ。私もそうなんですが、授業中に目に入る場所に何かが貼ってあると、気が散ってしまうんです。だから掲示物を極力減らして、黒板のみに集中できるようにしています。授業中、黒板しか見るところがない、という状態にしています。これは「インクルーシブ教育」にもつながっていくアプローチです。

実は桜丘中学校には、建物の構造の問題で、普通は左側に設置されている窓が、背面にある教室が1つだけあるのですが、その教室は、前方と左右に何も気の散るようなものがありません。すると、そこのクラスは総じて集中力が高く、成績が高いという傾向がみられるんです。

尾木　インクルーシブ教育というと、教育関係者の間では「障害者に配慮した教育」という理解をしている方も多いと思うのですが。

西郷　桜丘中学校では、障害のある生徒に配慮するのはもちろんですが、例えば発達障害の問題を抱えた子どもたちが過ごしやすい環境は、そうではない子にとっても心地よい環境だよね、という発想で考えています。

ユニバーサルデザインってありますよね？　高齢だとか、障害の有無とか、そういうことにかかわらず、すべての人が快適に利用できるように製品や建造物、生活空間などをデザインすることをいいます。例えば駅に設置されたエレベーター。本来の目的は、車椅子の方やベビーカーを利用している方などのためですが、健康な私たちにとっても、エレベーターは便利です。インクルーシブ教育も同じように、すべての子どもたちにとって居心地のいい空間を作ることじゃないかと思っているんです。

保坂　決して簡単なことではないと思いますが、具体的に、どうアプローチしているのですか？

西郷　インクルーシブ教育を始めた頃、各地の実践校を見学に行きました。「ユニバーサルデザイン（の）教育」の研究発表にも随分、行きました。ところが、何かが違う気がする。実践しているはずなのに、カタチだけのように感じられ、子どもたちがいきいきとしていないんです。途中で、「あっ」と気づいたんです。インクルーシブ教育やユニバーサルデザイン教育など、最先端の授業をしていても、そこで学ぶのは、いわゆる「典型的な中学生」とか「普通の子ども」と想定しているのではないか、と。

保坂　どういうことですか？

西郷　子どもたち一人ひとりをじっくり観察すればわかりますが、同じ子なんてひとりもいませんよね？

ところが往々にして教員は、「うちの学校は」とか、「このクラスは」という言い方をして、子どもを個ではなく集団でひとくくりにして考えてしまいがちです。本来は、子どもの個性も能力も違っていてデコボコしているはずなのに、そのことを理解していなかった。例えていうなら、インクルーシブ教育やユニバーサルデザイン教育という箱を、デコボコした子どもたちの上に載っけようとしても、かみ合わないから積み上げられない。当たり前ですよね、均一的で典型的な中学生など、本来はひとりも存在しないのですから。

子どもは均一ではなく、一人ひとり個性が違ってデコボコしている。こういう認識からスタートすることで、インクルーシブ教育やユニバーサルデザイン教育もうまくいくことに気づきました。実際、いまの桜丘中学校の職員室では、普通の学校で日常的に使われる「あの学年は」とか「このクラスは」という言葉は飛び交いません。「あの子は」「この子は」という個人の話に終始しよう、と言っています。

尾木　それ、とてもよくわかります。私も、「子どもの体温がわかる教師になろう」といつも口にしてきました。

朝、「おはよう」って教室に入りますよね？　そのときに、「あれ、この子は今日熱っぽいな」とか、あるいは面と向かって話をした際に、「目がトロンとしているな。体調が悪いのかな？」とか、そういうことがわかる担任になってほしいと思うんです。それは一人ひとりを大事にしていればわかりますからね。

大事なのは一人ひとり。これが私の基本的な考え方です。

「悪いクラス」なんてない

保坂 子どもたちはそれぞれ個性があってデコボコしている。だからその上に、インクルーシブ教育やユニバーサルデザイン教育を積み上げようとしてもうまくいかない。面白い指摘だと思いますが、では、どうやったら、うまく積み上げることができるんですか？

西郷 子どもたちのデコボコを吸収し、ユニバーサルデザイン教育とのつなぎになるOS、つまりオペレーティングシステムがあればいいんじゃないかと気づいたんです。

保坂 パソコン上でソフトを動かす、WindowsのようなOSのことですか？

西郷 そのOSです。あるソフトを動かそうとしても、WindowsなのかMacなのか、その機種に応じたOSを使用することで同じソフトウエアを動かすことができますよね。必要とされるOSは、地域や学校によって異なるものもありますし、共通するものもあります。私が考えるOSは4つあります。

1つめとして最も大切なのは、〝みんな違っていい〟ということ。「多様性の受容や尊重」ですね。教員や生徒だけでなく、保護者や地域の方々もそう思ってくれることが必要です。ですから保護者や地域との関わりは、非常に大事ですね。

2つめは、先ほど尾木先生がおっしゃったような「子どもの体温がわかる教師になる」ということに通じます。端的にいえば、「愛情を持って生徒に接する」ということです。どんな素晴らしい教育理論を導入したり施策を実施していたりしても、子どもに対する愛情がない教員がやっていたら、やっぱりダメなんです。カタチだけでうまくいきません。

私は若い教員に「愛情ってわかる?」と問うことがあります。

実は最近、「愛情がわからない」という教員がときどきいるのです。聞いてみると、「恋愛したこともも人を好きになったこともない」と言う。自分に子どもがいる教員なら、「自分を犠牲にしてでも、この子を守る」という無償の愛の感覚がわかりやすいかと思います。ところがそのような環境もなく、恋愛経験もない場合は、「愛情」そのものがどういう感覚かがよくわからない。そういう教員には、部活でもクラスでもいいから、自分がいちばん心配だと思う子どもを見つけて、その子をひたすら観察しなさい、と教えています。そして、とことんその子に尽くすのです。その子のために全精力を費やしているうちに、その子が何に悩んでいて、どうしたらそこから救ってあげられるだろうかと考えられるよう

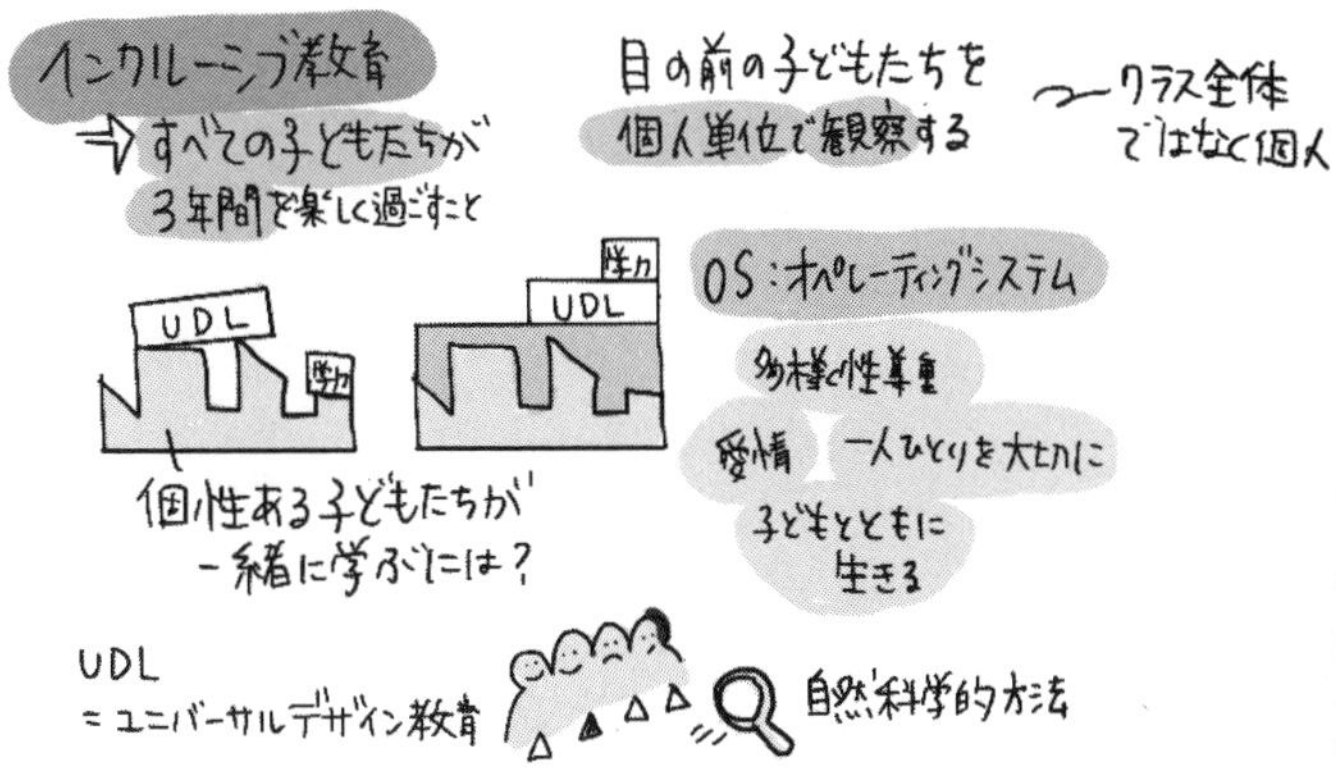
インクルーシブ教育
⇒すべての子どもたちが
3年間を楽しく過ごすこと
目の前の子どもたちを
個人単位で観察する
クラス全体ではなく個人
UDL
学力
UDL
学力
OS:オペレーティングシステム
多様性尊重
愛情
一人ひとりを大切に
子どもとともに生きる
個性ある子どもたちが
一緒に学ぶには?
UDL
=ユニバーサルデザイン教育
自然科学的方法

になってきます。すると、愛情の意味がわかってくるのです。

そして3つめは、「生徒一人ひとりを大切にする」ということです。これも当たり前ですね。

桜丘中学校では、「あの学年は」とか「このクラスは」と言わないことを教員に徹底していますが、それでも長年、そういう慣習の中にいた教員の中には、時折、「このクラスは」と口にする人がいます。先日も、「このクラスは良くない」と話している教員がいたので、こう話しました。

「良いクラス、悪いクラスというものはないよ。クラスの中にはしゃんとしている子もいるし、ルーズな子もいる。クラス全体じゃなく、誰に課題があるのか、誰が困っているのか、そういう話をしましょう」と。

クラス、学年、学校……と集団でくくって評価するのは、日本人の悪いクセです。これが高じると「○○の国の人間だからひどい」というような、根拠のない差別につながっていきます。

4つめは、「子どもとともに生きる」という感覚です。この広い世の中で、偶然にも同じ場所で、人生の3年間を子どもと共有している——例えば63歳からの私の3年間と子どもの13歳からの3年間が重なり、同じ場所で同じ時を共有できるのは、ある種の奇跡といえるでしょう。年齢もバックボーンも違う人間が人生のある時期をともに生きているんだという感覚を大事にしてほしいと思うのです。

この4つは、ことあるごとに教員らに話しています。この4つがOSとなり、子どもたちの誰もが生きやすい環境ができあがります。

ファーブルのように子どもを観察する

尾木　西郷校長は、どうやって子どもに向かい合っているのですか?

西郷　自慢することではありませんが、私には大それた教育理論や教育法はありません。私の場合、理系出身というのが大きいかもしれませんね。あらためて振り返ってみると、子どもに対するときは、自然科学の方法を用いているんです。

尾木　自然科学の方法とは？

西郷　ファーブルが昆虫をじっくり観察して、その中からいろいろな仕組みや法則を見つけていったように、私も子どもを観察することから始めます。「この学校をこう変えよう」とか「インクルーシブ教育の学校にしよう」とか、そういうことではないんです。目の前の子どもが、何か困っているとします。なぜこの子は困っているんだろう。何に悩んでいるんだろう。どうしたら解決するだろう。そうやって、目の前の子どもをどうしたらいいか、というところから発想していきました。

保坂　西郷校長の最初の赴任先は養護学校だったそうですが、それもどこかで影響があるのですか？

西郷　大きいですね。そこでの教員生活の最初の3か月は、何ひとつできませんでした。どうコミュニケーションをとったらいいか、わからなかったんです。

そこには、肢体不自由の子たちが通ってきていて、この子たちの多くは、自分で食事もできなければ、排泄もできませんでした。ところが、そういう子どもたちとコミュニケーションをとれるようになってくると、一人ひとりが非常に魅力的で、とってもかわいいんです。私はもともと機械をいじっているほうが好きで、教員ではなくコンピュータ関係の技術者になりたいと思っていたくらい人と接するのが苦手だったのですが、彼らに、人と人はどうつながったらいいか、ということを教えてもらいました。いまは誰とでも気ままにしゃべっているので信じてもらえないかもしれませんが、この経験がなければ、きっと無口なままだったでしょう。

保坂　信じられませんね。

西郷　ただ、この子たちの多くは短命でした。

例えば筋ジストロフィーの子がいました。遺伝性の筋肉の病気で、徐々に筋力が低下していきます。やがて体を動かすことも、しゃべることもできなくなります。普通なら、子どもたちは日に日にできることが増えていくのですが、筋ジストロフィーの子は違います。日に日に衰え、昨日まで歩けていた子が、次第に手足が動かなくなってしまう。

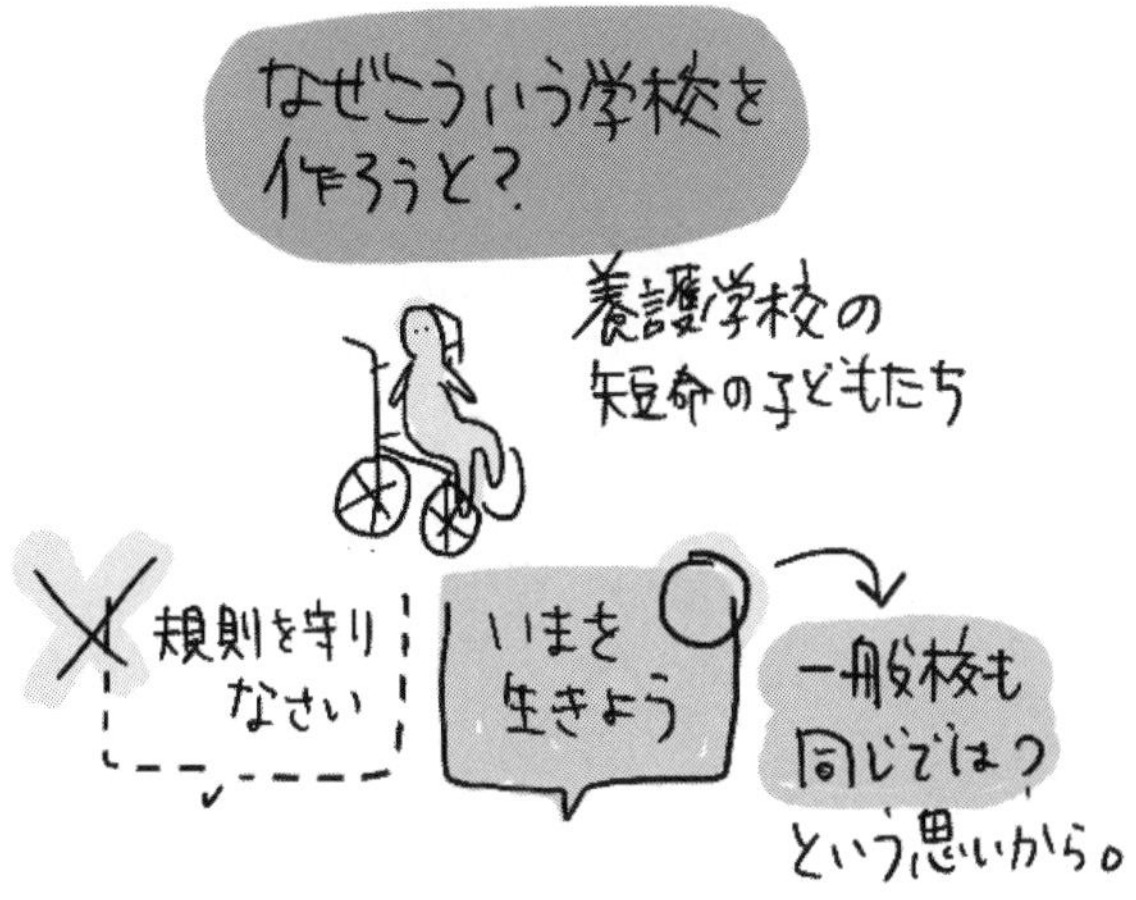
なぜこういう学校を作ろうと？
養護学校の短命の子どもたち
規則を守りなさい
いまを生きよう
一般校も同じでは？という思いから。

養護学校の子たちに必要なことは、規則を守らせることではありません。短い人生をどう豊かに過ごすか。養護学校の子どもたちにとって、いまここで「楽しい3年間」を送ることは、何にも増して大切だったのです。考えてみたら、それはどんな中学生だって同じです。〝いま〟をどう楽しく生きるか、ということが大事なんです。養護学校の子どもたち、一人ひとりと付き合っていく中で、私が学んだことです。

映画『みんなの学校』の影響

保坂　つまり、クラス全体というより、一人ひとりの子どもたちの様子や暮らし、心境を見るということが大事になってくる。

西郷　その通りです。でも彼らの人生が、平均より短いからといって、決して劣っているわけではないんです。むしろ、自分の人生が人より短い分だけ、一日一日を大切にしようとします。それまで人生を深く考えずに、ただ「死ぬ順番を待っているだけ」のように生きてきた自分が、恥ずかしくなりました。

尾木　西郷校長のお話を聞いていて、映画『みんなの学校』（真鍋俊永監督／2015年公開）の木村泰子先生のことを思い浮かべました。

西郷　うれしいですね、実際、あの映画に随分影響を受けていますから。

2015年の夏だったか、「子どもたち全員が、3年間幸せに過ごすにはどうしたらいいか」と考えていたときに、この映画を偶然観たんです。

『みんなの学校』はドキュメンタリー映画で、不登校ゼロを目指す大阪市立大空小学校の1年間を追ったものです。すぐに友だちに暴力をふるってしまう子。教室を飛び出してしまう子。発達障害の子。問題を抱えている子ばかりです。でも木村泰子校長（当時）を中心に、「すべての子に居場所のある学校を！」とみんなが子どもたちのために奮闘していました。
　この学校には、発達障害の子とそうでない子の境がありません。「すべての子どもの学習権を保障する」という教育理念のもとに、教育が行われていました。何より、子どもが楽しんでいる！　はみ出してしまう子を矯正するのではなく、周りの子どもたちが「違い」を認め、受け入れることで、居場所をつくっていました。自分の目標としている学校が突然、ビジョン＝映像として目の前に現れたんです。

保坂　私も観ましたが、この小学校には、障害を抱えていたり、扱いが難しかったりする子たちが、どんどん入ってくる。でも排除しない。学校だけでなく、地域も巻き込んで、みんなで包み込んでいこうよ、と。木村泰子先生は、その子たちと体当たりで取っ組み合いながら、教員一人ひとりとも議論して……なんというか、とても熱い映画です。
　私も試写会で観て、推薦文を書きました。教育長にも「ぜひ観たほうがいい」とすすめたことがあったのですが、実際に観て「感動した」と。で、世田谷区の小学校の校長には、みなさんに観ていただきました。初任科研修でも、新任の先生に観てもらうようにしています。そのくらい考えさせられる映画ですし、非常にインパクトがあります。

教員は子どもより偉いわけじゃない

尾木　実は私、木村泰子先生と対談したことがあるのですが、木村先生もこう言っているんです。どうやって学校を作っていくか、という話になったときに、〈「今日、一番しんどい子どもは誰？」という視点でみんなが子どもを見て、その子がしんどくないようにすればいいのです〉（『「みんなの学校」から「みんなの社会」へ』岩波ブックレット）と。これはまさに、西郷校長が実践されていることと同じですね。

でね、もうひとつ気になったのは、「学校を作る」といったときに、「誰が作るのか」。いくら素晴らしい理想があっても、それを子どもたちに押しつけてしまうと、これはやっぱりうまくいかないと思うんです。そうしたら木村先生はこう言ったんです。〈みんながつくる〉と。だから「みんなの学校」なんですね。もっと具体的に言うと、〈学びの主体である子ども〉、〈保護者〉、〈地域住民〉、〈教職員〉が、〈人任せ〉にしないで作っていく、と。もちろん、教員の役割には大きいものがあります。ではどうするか。〈そのために教師がすることはただ一つ、目の前の子どもから学べばいいのです〉だって。

西郷　そのとおりだと思います。子どもから学ぶことは、本当に多いですね。桜丘中学校でも、子どもたちのアイデアで変わったことがたくさんあります。

桜丘中学校は、校則と定期テストがないことで話題になりましたが、これだって最初から、私の中に信念としてあったわけではないんです。校則も定期テストも、子どもから「いらない」という声が挙がった。そもそも出発点は、目の前の子どもなんです。

尾木　本当にそう。きっと、教員のほうが子どもより上だ、と思っているから、子どもを管理する、という発想が生まれるんでしょうね。

答えは子どもが知っている

西郷　厳しい学校から転任してきた教員がいましてね。そのときのクセで、何かあると子どもを上から叱ってしまう。何かにつけ「～しなさい！」と言うのが口癖になっていた。だからそのたびに、話をしました。「別にあなたが子どもより偉いわけじゃない。むしろ、いろいろな環境でがんばっている、あなたより偉い子どもはたくさんいるよ。そのことを考えて」と。いまではこの教員の指導方法がすっかり変わり、生徒の人気者になりました。

尾木　わかりやすい言葉で言えば、もっと子どもたちの声を聞く。子どもに頼ってもいいんじゃないかなということですね？

西郷　その通りだと思います。

尾木　私が現場の中学の教員をやっていたときに、ひとりの子が荒れて、わざと窓ガラスを割ったんです。本人に「どうしたの？」と聞いたんですが、ブスッとして何も言わない。困りましてね。何かがあるんだろうと思うけど、その何かがわからない。頭ごなしに叱っても、その子の抱えている問題は解決しません。

そこで、クラスの班長5、6人を集めて、「みんな、何かわかることある？」と聞いたんです。そしたら、班長の1人が、「いま、お父さんとお母さんの仲が悪くて大変なんだ。お兄ちゃんも荒れているし」と言うの。で、もう1人が、「先生の心配もわかるけど、もうちょっと見守ってあげて。私たちがなんとかするから」って。そうやって支え合ってくれる。私は子どもたちのそういうところにずっと救われてきたんです。こうしてどんな子も立ち直り、成長していく。教員の力ではありません。

もうひとつ、こんなことがありました。中学2年生で分数計算ができない子がいたんです。そうしたらある女の子が、「放課後に私が勉強を教えてあげる」といって、〝小先生〟になってくれたんです。そしてあるとき、教わっていた女の子が「わかった！」と職員室に飛び込んできました。いまでも、そのときのうれしそうな顔をリアルに思い出します。余談ですが、小先生をしてくれていた子は、のちに京都大学に入りました。こういう子が、本来の期待されるエリートなのだと思います。

子どもに頼るのもいいんじゃない？

西郷　私も経験があります。１９７０年代後半に大田区のある中学校で教えていたときに、いわゆる不良や問題児といわれる生徒たちを全員、私のクラスで引き受けたことがありました。ほかの教員にその子たちを任せることがどうしても心配だったのです。その代わり、「真面目な勉強ができる女子生徒を同じクラスにしてください」と頼みました。実は、「真面目な勉強ができる女子生徒」に期待したんです。狙いは当たりました。「このままじゃ高校にいけないよ」と、女子生徒たちが親身になってツッパっていた男の子の世話を焼きはじめたんです。彼らも、教員の言うことは無視しますが、女子生徒には逆らえない。そのうち、「○○くんを高校に合格させよう」というプロジェクトが複数立ち上がりました。

尾木　どうなりました？

西郷　全員が自力で高校に進学しました。周りは「あの生徒が？」と、驚いていました。

尾木　困ったら子どもに聞く。子どもに頼る。これは学校だけでなく、家庭の中でもそうだと思います。自分たちより生きている時間が短いからといって、子どもの力を軽くみてはいけません。

私の授業の基本も「子どもに聞く」ことです。授業は子どもの発表からスタートします。子どもたちにわかることを発表してもらうのではなく、わからないことの発表から入っていくんです。「わからないこと」っていうのがいいでしょ？　だって最初はわからないことだらけなんだから。でも、個々では手が挙げにくい。そこで、班ごとにわからないことを出し合って、それを発表してもらうようにしました。本人が言いにくいなら、発表するのは班長でも誰でもかまいません。それを私は黒板に書き出していきます。

ある国語の授業で、子どもから「この文章、どうしても前後のつじつまが合わない」という意見が出たことがありました。みんなで考えてみたのですが、たしかに文章の前後の整合性がとれていない。そこで原典を当たってみると、子どもにふさわしくない表現だとして、教科書会社が、ある単語が入っている箇所を削っていたことがわかったんです。だから文意がおかしくなっていた。そのことに気づいたんですね。これって非常に高度で論理的な思考力です。子どもに頼ったからこその発見でした。

そういえば昔、『子どもに頼るのもいいんじゃない。「子どもの権利条約」時代を生きる教師』（民衆社／1992年）という本を出したことがありました。でもね、ぜんぜん売れなかったんです。出版社の編集者からは「10年早かった」と言われましたが、30年ぐらい早かったのかもしれませんね（笑）。

校則をなくした理由

保坂　尾木先生の話に通ずる話だと思うんですが、ある年の新成人のつどい（成人式）で、実行委員をやってくれた若者たちの中に、1人、しっかりしていて、ハキハキした子がいましてね。その頃はまだ、桜丘中学校の取り組みを知らなかったのですが、話を聞いてみると、その若者は桜丘中学校出身だと言うんです。で、「自分たちが校則をなくそうと言いだした」と。これは大変面白い話だな、と思い、非常に期待が持てると思いました。子ども主導で校則がなくなった、ということですものね。

西郷　生徒会長だった男子生徒ですね。

実際、校則がなくなるきっかけは、子どもの疑問からだったんです。当時、《セーターの色は紺とする》という校則があって、教員は、黒のセーターを着てきた子を注意していました。なぜセーターは紺なのかと生活指導主任の教員にたずねると、「派手にならないため」と言うんです。だったら黒でもいいのではないかと問うと、はっきりした答えが返ってきませんでした。

同じように、《靴下の色は白とする》という校則もありました。その理由を、同じ生活指導主任に聞いてみました。すると、「白は、汚れがすぐにわかるから清潔です」という答えが返ってきました。であれば同じ理由でセーターも白じゃなければおかしい。セーターは紺で、靴下は白。これは明らかな矛盾です。ですから、生徒から「なぜ？」と聞かれても、教員は答えられないのです。「校則なんだから守れ！」と頭ごなしに叱るほかはありません。

保坂　先生が校則について合理的な説明ができない。

西郷　そのうちに、生徒総会で、「グレーや黒のセーターを認めてほしい」という要望が出されました。校長というのは、こういうときのために存在しています。明らかにセーターの紺色指定は矛盾した校則ですから、要望に対し、私は「イエス」と答えました。

このことがきっかけで少しずつ「おかしな校則はなくそう」と、いろいろやっていくうちに、とうとう全部なくなってしまった。必要な校則など、何ひとつなかったのです。

保坂　新成人のつどいの実行委員の青年が、積極的で、自信を持っていた理由がわかりました。「やればできる」という成功体験を持っているのですね。

議論白熱の生徒総会

西郷　桜丘中学校の生徒総会は、本当に賑やかですよ。

２０１８年の生徒総会では、校庭の芝生化、体育館の冷房化、定期テストの廃止、校内の自動販売機の設置の４つが議決されました。

尾木　定期テストの廃止も、生徒総会の議案に上がったものだったんですね。

西郷　ええ、そうなんです。私自身、インクルーシブ教育の観点から定期テストの問題点を感じていて、小テストを重ねる方法はないかと模索していたところに、議案が持ち上がったんです。

東京都の校庭の芝生化事業の利用や偶然世田谷区が計画していた体育館の冷房化、そして麹町中学校（東京・千代田区）の実践を参考に定期テストの廃止の３つは実現できました。しかし、自動販売機の設置だけは、設置した際の電気代を誰が負担するのか、そもそも営利目的の機器を学校に設置して良いのかというあたりがクリアできなくて、行き詰まっていたんです。そうしたら、ずいぶん時間がかかりましたが、生徒の中から、「災害用の自動販売機なら、クリアできるんじゃないか」というアイデアが上がってきました。被災した場合、無料で飲み物を取り出すことができるなど、備蓄にもなり、地域の人にも役立つという理由で設置する見通しが立ちました。

保坂　吉原さん、そういう発想のできる若手社員が、欲しいですよね。

吉原　そう思います。そうしたら日本の会社、日本経済がどんどん発展しますよ。それなのに世間の学校では、桜丘中学校と反対の方向――管理を強めるほうに向かっている。だから世界に比べて、日本の競争力が落ちているといえるかもしれません。日本の企業の多くは、国際競争の中で、太刀打ちできなくなっています。それもこれも、経済産業省がアメリカに見ならえとばかりに、目先の利益を企業に求めてきたから。経産省は、競争力低下に危機感を感じているようですが、元はといえば、自分たちが招いたことなのです。

ちょっと前までは、会社だって「楽しくなければ仕事じゃない」と言っていた時代もあります。面白くない仕事にしてしまっているのは、働いている人のせいではありません。

会社という組織が機能していないのです。その面白くない会社が、家庭や学校に悪影響を与えている。企業社会の問題が、学校にも反映されてしまっているのです。

私も経営者のひとりとして、もちろん改革していかねばと思っています。ですが、それにも限界があります。桜丘中学校の子どもたちのような「自分の頭でものを考える」子どもたちが増え、そういう子が社会人となって、下から改革をしていってくれるとうれしいなと思います。企業もまた、それを強く求めています。

定期テストの廃止

尾木　定期テストの廃止は面白い試みだと思いますが、まったくテストがないんですか？

西郷　学習状況を検証するためのテストは必要です。定期テストの代わりに1単元ごとに行う「積み重ねテスト」を導入しました。週3日程度、授業開始前や授業中に、小テスト（1日1単元）を実施します。この小テスト10点×複数回のテストが定期テストの代わりになります。

保坂　定期テストの問題点を感じていた、とおっしゃいましたよね。具体的に教えていただけますか?

西郷　100点満点のテストで良い点をとろうとすれば、中間考査なら5教科、期末考査なら9教科、これだけの教科をいっぺんに準備しなければなりません。これは誰にとっても大変です。特に発達に特性があり、やることの優先順位がつけられなかったり、ひとつのことに長時間集中することが苦手な生徒には、100点満点の定期テストを9教科もいっぺんに準備することは特性上からも困難です。実際、テストが苦痛で学校を休んでしまう子や、テスト前に不安定になる子も出てきます。

ユニバーサルデザイン教育の手法のひとつに「スモールステップ化」という方法がありますが、50分の授業を50分ひとまとまりの授業と考えず、例えば5つのステップに分けて進めます。そうすると、学習が苦手な発達障害の子であっても、小さな一つひとつの内容は理解しやすく、理解度が格段に高まります。テストも同じ考え方で、100点満点のテストの準備は難しくても、10点のテスト×10回ならば対応できます。

尾木　文部科学省は、発達障害児に対し、「合理的配慮」をするように学校側に求めています。定期テストを廃止して、小テストにすることは、発達障害の子どもたちに対する合理的配慮でもある、というわけですね？

西郷　その通りです。でもこれは、発達障害の子だけにプラスになるわけではありません。10点満点の小テストならば、範囲も限られていて理解が深まりやすく、高得点をとりやすい。頻繁に小テストがあるわけですから、毎日勉強をする習慣もつきます。かつてのように、定期テストの直前だけ勉強して終わったらすぐ忘れてしまう、という悪循環からも脱却できます。

「積み重ねテスト」にしてから、ある生徒の通っている学習塾から、お礼の電話がかかってきたことがあります。数学の苦手だったある子が3回連続満点をとるという快挙を伝える電話でした。生徒に自信がついて学力も伸びていったのでしょうね。それが何より喜ばしいことではありますが、生徒の学力をどうにか伸ばしたいと親身になって指導してくださっている塾の先生が近隣にいることがわかり、そちらもうれしかったです。

テストはしなくても学力は上がる

尾木　子どもにとってはプラスの小テストでも、親御さんが心配しているのは、それでい

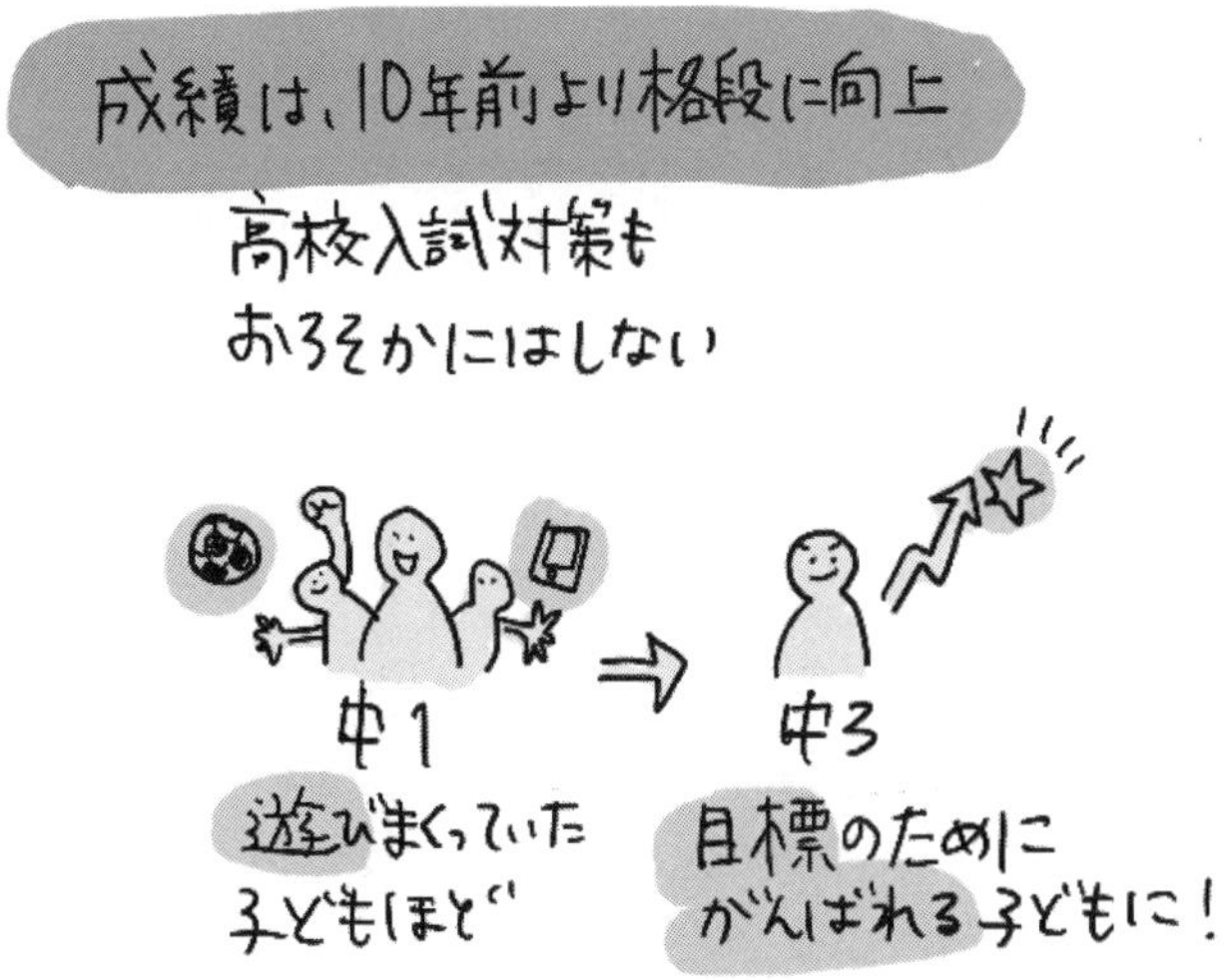
成績は、10年前より格段に向上
高校入試対策も
おろそかにはしない
中1
遊びまくっていた
子どもほど
中3
目標のために
がんばれる子どもに！

ままで通り、学力が身につくのか、ということだと思います。定期テストもない、校則もない、何でも子ども任せ。それで本当に学力が上がるの？　と心配するんじゃないですか？

西郷　そういう声はたしかにありました。これは桜丘中学校の保護者ではないのですが、メディアに、桜丘中学校の定期テスト廃止などが掲載されたとき、「そんなことでいいのか」という苦情の電話が何件かかかってきました。どうやら、自分たちが子ども時代にやってきたことと違うことをしていると、「おかしい」と思ってしまうようです。

尾木　私のこれまで実践してきた教育論で考えると、桜丘中学校がやっているような、子どもの自主性に任せる教育は、詰め込み型の受験勉強よりも学力がアップすると確信しているのですが、どうですか？

西郷　２０１８年度まで、世田谷区では区内の中学校の学力平均の数字を出しているのですが、桜丘中学校はここ何年も優秀な成績です。私が就任した10年前に比べると、格段に向上しました。

特に英語は得意な分野です。ＣＬＩＬ《クリル》（Content and Language Integrated Learning）という、理科や社会などの教科学習と英語学習を統合したアプローチがあるのですが、これは英語以外の教科を、英語を使って行うことで、英語教育の質的向上をはかろうという試みです。こうしたＣＬＩＬを導入するなどの工夫もあり、子どもたちが英語を使ってコミュニケーションをとることに物怖じしないんですね。自分の意見を口にする、という桜丘中学校の子どもたちの空気感と英語がフィットするのでしょう。コミュニケーション能力の高さが、英語力を引きあげています。

高校入試があるのは日本だけ

西郷　学力の点でいうと、どの公立中学校も「高校入試」という問題を抱えています。公立中に通う中学生である以上、ここからは逃れることはできません。「学力は上がっていますといっても、「じゃあ、高校入試は?」」となる。その不安を解消するために、「受験のための準備」もおろそかにしないように、日頃から工夫しています。

尾木　おっしゃる通りで、保護者の方もそこで引っかかると思います。

でも、こう言うとみなさん、驚かれるんですけど、実は高校入試を行っているのは自由主義圏の中では、ただひとつ日本だけなんです。考えてもみてください。中学生、高校生という思春期の成長上で大切な6年間を、高校受験で分断させるのは最悪の行為だと思いませんか？　それも試験の点数という一定の数値、ひとつの価値観だけで輪切りにしていくなんて、そんなもったいないことをするのはよくないはずです。耳が痛いかもしれませんが、日本の教育は諸外国に比べて、何周も後れをとっています。

例えばお隣の韓国。学歴社会で受験戦争がひどい、という言い方もされますが、あれはあくまで大学受験の話です。基本的に、韓国では高校受験が実施されません。高校は、普通高校と職業高校の２つに大別され、中学校の成績で振り分けられます。高校進学率はほぼ１００％です。

アメリカでは高校までが義務教育です。公立の学校に進む場合は、居住している学校区の高校に通います。高校卒業レベルに達しているかを評価する試験を受けて、それに合格さえすれば、どの大学にも進めます。高校在学中の成績が重視されるため、いい大学にいくためには進学校に通う、という日本のような考えになりません。

義務教育に関しても日本は後れています。オランダでは4歳、イギリスでは5歳から始まります。日本の義務教育は小学校、中学校の計９年ですが、ドイツは10年、ベルギーは12年、オランダは13年です。

残念なことに、日本は教育に投資する公的支出も、最低レベルです。ＧＤＰ（国内総生産）に占める割合がわずか２・９％で、ＯＥＣＤ（経済協力開発機構）加盟国中、最下位なんです。政府はいったいどこにお金をつかっているのか……。これからの日本を支える教育にこそ、予算を投じるべきなのに、逆に日本は削る一方です。

スウェーデンは、グレタ・トゥーンベリという自分たちで社会を改革しようという少女を生み出しました。国連気候変動会議などでスピーチするなど、いま世界で最も著名な環境活動家でしょう。反論したい人もいるでしょうが、自分の頭で考えて、世界中を巻き込んで行動するなんて立派です。いまの日本の教育から、グレタさんのような人が生まれると思いますか？

自由闊達・自主自立

保坂　吉原さんに学力の点で伺いたいのですが、いままで見てきたように、桜丘中学校のような自由な教育、というのがひとつありますよね。一人ひとりが自分で判断し、やりたいことをやる。いま興味を持ったことにつっこんでやってみる。それはスポーツかもしれないし、遊びかもしれないし、何でもいい。そういう時間、いわば勉強の詰め込みじゃない時間を大切にするという教育です。麻布学園も自由闊達という校風があり、それでも進学の実績もしっかりある。その関係性と社会がこれからどうなっていくのかということを、ぜひお聞かせください。

吉原　西郷校長がやっていらっしゃることは、麻布がやってきたことをさらに上回っているという印象です。そうつくづく思います。先日、麻布の校長や先生方ともいろいろ話しましたが、なぜ麻布が、創立以来一貫して、「自由闊達・自主自立」を掲げてきたか。それは単純な話で、そうしないと子どもたちが本当の意味で育たないからです。中高時代に詰め込み教育や管理教育を受けてきた子どもは、学業の面でも伸びないし、社会に出てから役に立たなくなるんです。

保坂　しかし世田谷区の保護者の中には「うちの子どもが通っている中学校を、桜丘中学校のようにするな」と強く言ってくる人もいます。

吉原　そうお考えになるのは自由ですが。おそらく、「子どもは管理すべきだ」と頑なに信じているのでしょう。しかし残念ながら、現実はむしろ管理強化はマイナスに出ています。

保坂　どうマイナスなんですか？

吉原　先ほども申しましたが、管理教育が進んだせいで、会社に入ってくる人間が小粒になりました。具体的に言うと、自分で判断できない、倫理観がない、情熱がない。明らか

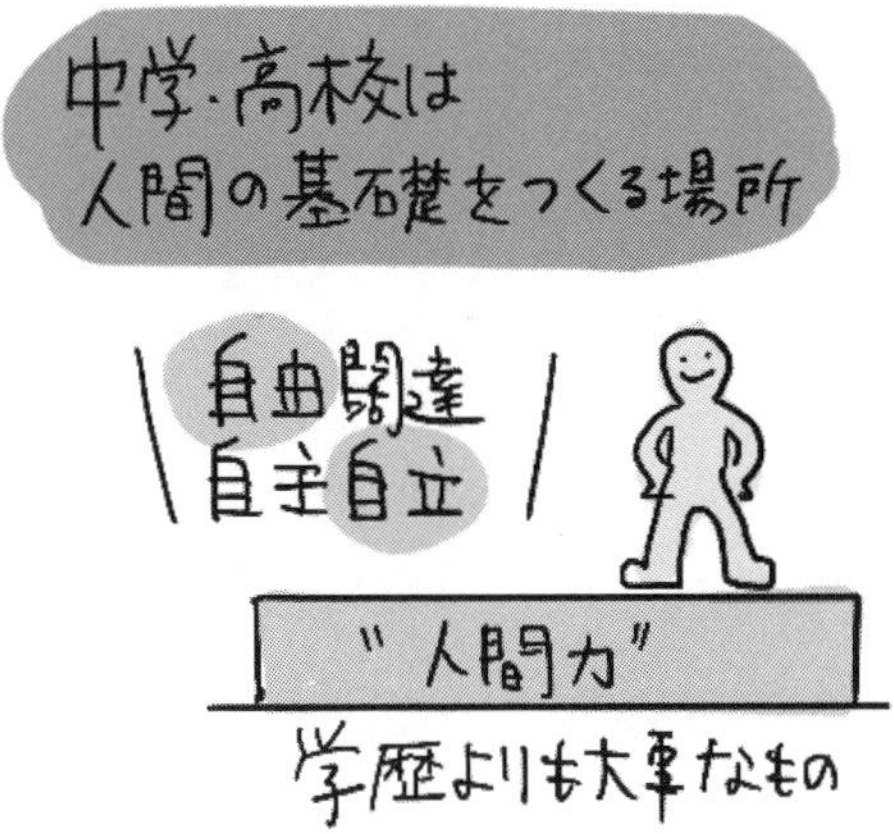
中学・高校は
人間の基礎をつくる場所
自由闊達
自主自立
〝人間力〟
学歴よりも大事なもの

にそういう傾向があります。だから管理しちゃダメなんです。麻布でも、中学受験でがんばった子たちほど、入学後に伸び悩んでいることが多い。受験で凝り固まってしまっているので、本来の自分を取り戻すのに時間がかかるんです。

保坂　どうやって自分を取り戻させるのですか？

吉原　西郷校長のやり方と同じですね。中学に入学した、とにかく1年生のうちは思いっきり遊ばせて、思いっきり好きなことをさせる。これにつきます。

大学中退でマイクロソフト設立

保坂　麻布中学では、毎週月曜日の朝、校長先生が門のところに立つと聞きました。

吉原　生活指導のために目を光らせてるんじゃありませんよ（笑）。平秀明校長は校門に立って、一人ひとりに「おはようございます」と笑顔で迎えているんです。それは徹底していて、遅刻してきた生徒にまで挨拶するんです。「遅刻の子にまで言わなくてもいいんじゃないか」と言う教員もいるそうですが、「挨拶することに、それは関係ないでしょう」と校長はおっしゃっているんです。

保坂　なぜでしょう?

吉原　「学校に来てくれてありがとう」「元気かい?」というメッセージを直接伝えているんです。

尾木　それは非常に素敵な話ですね。

吉原　麻布に限らず、中学生、高校生の時期は、子どもたちにとって大切な時間です。なぜならば、この時期に人間の基礎が形成されるからです。

基礎ができている子は、いざというときに踏ん張りが利くんです。大学受験もそうで、麻布の子たちは、いままで遊んでいた分のつじつまを合わせようと受験勉強で爆発的な力を発揮します。つじつまが合わせられなくてもいいやっていう子は、もちろん大学進学とは別の道に進んでもいい。それでも自分の活躍する場を見つけて、先輩たちは活躍しています。

例えば麻布出身者のひとりに、大学を中退して日本法人のマイクロソフトの設立に関わったたった人がいます。マイクロソフトの初代代表取締役社長を務め、退職後は慶應義塾大学大学院教授として大活躍している古川享《すすむ》さんです。大学は中退しているので、最終学歴は麻布高校。でも学歴で損をした、なんて話を彼から聞きません。だって、創業者のビル・ゲイツが大学を中退していますからね。つまりマイクロソフトは、学歴ではなく「人間力」を見て採用しているということです。彼は麻布で自由に考え、行動して、自分がやりたいことを見つけた。それがいまの活躍につながっています。管理教育からは、なかなかこういう人は生まれません。いまどき、「東大出」がどうのといわれるのは、官庁や大企業のほんの一部だけです。

尾木　まったくそうですね。それなのに、子どもを何人も東大に入れた、なんて自慢する親を持てはやすのですから、日本はズレてるんです。その人物が社会で活躍できるかどうかは、学歴とまったく関係がありませんね。

桜丘中学校は特別じゃない

保坂　「人間力」という言葉が出ましたが、麻布ではどのように育てていこうとしているんですか？

吉原　これは、西郷校長が実践している桜丘中学校のやり方と、非常に重なる部分があります。まず、中学受験で疲弊している子たちに、自分らしさを取り戻してもらわないといけません。子どもたちをどうやって伸び伸びとさせるか、どうやったら自分で考えるようになるか、そこのところに常に意識を向けています。そのために教員に何ができるかといえば、先回りして導くことでも、管理することでもありません。愛情をもって寄り添うことです。あの子は何に悩んでいるんだろう。あの子はどんな仲間と付き合っているんだろう。実は麻布の先生方はそういう観察に最大限の力を注いでいます。これが麻布の「自由闊達・自主自立」を支えているんです。

このように麻布の場合は、「長年の伝統の中で築き上げてきた」校風なのです。これに対して、西郷校長は、ご自身で試行錯誤しながら、そういう方法に辿り着いていてらっしゃる。

これは大いに学ばなきゃいけないと、校長の書かれた『校則なくした中学校　たったひとつの校長ルール』（小学館）を自腹で何冊も購入して、先生方に配りました（笑）。

尾木　よくおっしゃっていますが、西郷校長は、何か体系的な教育論を持っておられるわけではないのですか？

西郷　はい、特に拠り所とする理論はありません。

尾木　西郷校長は、子どもたちをじっくり見るというただこれだけの方法で、素晴らしい学校にしてしまったということです。でもね、逆に言うと、これはほかの学校でもできる、ということです。桜丘中学校を特別な学校にしてはいけません。こういう学校が日本にどんどん増えていけばいい。そんなふうに思います。

管理教育は子どもと社会を蝕んでいく

吉原　毅（麻布学園理事長、城南信用金庫顧問）

――「自由な教育」を受けてきた社員のほうが伸びる、というお話をもっと詳しくお聞かせください。

「私たちは何かしようとするとき、動機が必要ですよね？　動機には大きく2つあって、内発的動機づけ（モチベーション）と、外発的動機づけ（インセンティブ）があります。

例えばお子さんが、誰に言われたわけでもないのに、ゲームや漫画に熱中していることがありますよね。自分の中から沸き起こってきた感情に従って、時間を忘れて熱中する。これが内発的動機づけです。なにもゲームに限らず、プロジェクトを提案して率先して関わるとか、電車に乗ってきた高齢者を見つけて、誰に言われたわけでもないのに席を譲るとか、こういうことも内発的動機づけです」

——自分の気持ちに従う、ということですね？

「はい。一方で外発的動機づけというのは、評価や報酬、義務、賞罰、規則……こういう外的要因によって生じる動機のことです」

——先ほどの校則やルール、というお話と重なります。

「その通りです。管理教育というのは、外発的動機づけによって子どもを行動させようとしているのです」

——なぜそれが問題なのでしょう？

「これは、最近、教科に格上げされた道徳の問題とも絡んでくる話なのですが、例えば、『お父さん、お母さんを大切にしよう』と道徳で教えたとします。一見、間違っていないことのように思いますよね？　でもこれが、規則として上から押しつける形になると、意味が違ってきてしまいます。教条主義ともいいますが、形式だけになってしまいます」

——どういうことでしょうか。

「思春期ともなりますと、反抗期を迎え、親に口答えすることもあるでしょう。成長過程においては、極めて自然です。

ところが、『お父さん、お母さんを大切にしよう』ということを規則のように捉えると、〝いまお前は父親である私に口答えした。罰として鞭打ち100回だ〟ということにもなってきます。万事がこの調子で、心の内面の問題だったはずが、規則化した途端に、人を管理する道具になってしまうということです。

『友だちと仲よくしよう』というのもそうですよね？　言っていることは間違いじゃない。しかしこれを規則として強制すると、内面が置き去りにされて、表面的に仲よくすればいい、ということになってしまう」

――つまり、本当はいじめていても、大人の前では仲よしを装ってバレなければいいと？

「そうです。外発的動機づけで動いていますから、人の目――外部があるときだけちゃんとやればいい。逆に、誰もいなければ守らなくていい、となる。つまり、行動原理が『飴をもらいたい』『鞭を受けたくない』に終始し、損得だけ、見せかけだけで動くように、いや、動いているふりをするように、なってしまうのです」

管理からは何も生まれない

——管理する側からすれば、言うことを聞く人間は楽です。

「しかし管理される側はどうでしょう。結局、外発的動機づけで動くということは、人間本来の姿から離れ、奴隷のようになってしまうということです。本当なら、何が正しいか、ということを自分で考えながら行動するのが、人間ですよね？　でも、いまの管理教育では、それができなくなってしまう」

——そういう人材が会社に入ると……。

「言われることはやります。そういう教育を受けてきていますから。そして、評価されるとやる。そのかわり評価されなければやりません。すると会社という組織がどうなっていくかというと、指示待ち族だらけになるのです。そして、たとえ悪いことでも指示されるとやるようになってしまうのです。

会社というものは、常に新しいサービス、新しい商品を生み出していかなければなりません。前例踏襲や繰り返しだけでは、組織は生き残ることができません。また不正義なことを決して行ってはいけません。いまの日本経済に元気がなく、閉塞感があるのは、すべてここから来ているのです。自分の頭で考える経験がほとんどない人たちが会社員になっていますから、新しいことを生み出そうとしても、どうしていいかわからないのです」

――非常に危機的なように思います。

「そう、日本社会は危機的な状況にあるんです。財界だけでなく、政界も官僚も、学校も家庭も、ピラミッド型の組織になってしまった。誰もものを考えないで、誰かに指示されるのを待っている。悪いことでも平気でやってしまう。非常に危険です」

――一方で、麻布学園や桜丘中学校で学んできた子どもたちは、「考える力」を持っている。

「そうです。彼らは管理教育を受けていません。『自分の頭で考える』という環境の中で、伸び伸び過ごしてきた。こういう子たちは強いですよ。それに貴重です。だって、自分たちからどんどん発信して、理想を実現していく力がある。それが真のリーダーです」

――ではなぜ、麻布学園や桜丘中学校のような教育が広まらないんでしょうか。

「政治家にしろ、教育界の人間にしろ、役人にしろ、自分でものを考えてこなかった人間が施策を決めているということもあるかもしれません。自分たちが受けてきた管理教育しか解を持っていない」

麻布ははみ出し者の受け皿だった

「麻布学園の成り立ちをお話しすると何かのヒントになるかもしれません。

麻布学園を作った江原素六《そろく》（1842～1922年）という先生は、もともと幕臣のひとりで、戊辰戦争などで戦った人物です。しかし奮戦空しく、戦にも負け、大けがも負ってしまった。大政奉還で、徳川家は駿河（静岡県）に移ることになり、素六は徳川家に従い、沼津に移り住みます。そして、沼津城内に近代的な教育を行う「沼津兵学校」の設立に尽力します。沼津兵学校には附属小学校も設けられ、のちの日本の小中等教育の基礎となったといわれています。

その後、素六は静岡師範学校の校長をしたり、私立駿東高等女学校（現・静岡県立沼津西高校）の設立に携わったりと、教育に関わり続けます。そして1895年（明治28年）、ミッションスクールの東洋英和学校の校長だった素六は、同校の普通科を独立させる形で、麻布尋常中学校を設立します。これがいまの麻布学園、麻布中学校・高等学校ですね。

こう説明すると、麻布はさも立派な学校のように思われるかもしれませんが、そうではないんです（笑）。明治のこの頃は、エリートというのは、官立学校に行きました。これからの国づくりを担う人材ですから、国が責任をもって教育しようと考えたわけです。しかしいつの時代も、そういうエリート校にはまらない子どもたちが出てくる。はみ出し者たちですね。そういう子の受け皿になったのが、麻布なんです」

――意外でした。東京の難関私立男子中学校で、麻布は、開成、武蔵と並ぶ「男子御三家」です。元ははみ出した子たちの受け皿だったとは。

「やんちゃな暴れん坊たちだったそうですよ。いたずらなどはかわいいほうで、品川の遊郭に行ったきり帰ってこない生徒がいたとか。朝帰りを教頭に見つかって、〝退学だ！〟と大騒ぎしたら、それを聞いていた素六校長が大笑して、不問に付したとかね」

――なんともおおらかです。

「教頭の怒りは収まらなかったようですけどね。〝もう、校長とは口をききません〟と本当に1週間口をきかなかったというエピソードが残っています。

でもね、この素六校長の行動には真理があるんです。ようするに、どんな間違いを犯したとしても、最後は〝まあ、いいじゃないか〞と許す。愛や寛容の精神なんですね」

――逆に言うと、規則で縛ったり、管理を徹底したりすると、愛や寛容の精神は生まれない、と。

「そういうことです。道徳を教科に格上げして、詰め込み式でいくら教え込んだところで、むしろ逆効果なんです」

ジャン・バルジャンが更生したわけ

「ヴィクトル・ユーゴーの『レ・ミゼラブル』ってありますよね？」

――ミュージカルや映画にもなりました。

「主人公のジャン・バルジャンは、たったひとつのパンを盗んだことで、19年も刑務所で過ごします。仮釈放で出てきたジャン・バルジャンを、ミリエル司教が教会に泊めてあげるのですが、あろうことか、銀食器を盗んでしまう。逃げる途中で捕まるのですが、司教は〝食器は彼に与えたものだ〞と言って、さらに高価な銀の燭台を与えるんですね。で、

〝神様はいつもあなたのそばにいらっしゃいますよ〟と。神の愛、先ほどの愛と寛容の精神です。そしてこれをきっかけに、ジャン・バルジャンは真人間になっていきます。

一方で、規則を守ること、守らせることに生きがいを見出すジャヴェール警部は、ジャン・バルジャンを執拗に追い回します。彼にとっては、ジャン・バルジャンがいま何をしようとしているかは問題じゃなく、過去の失敗に固執するのです。

ここで考えるべきは、ミリエル司教の神の愛と寛容の精神は、ジャン・バルジャンに自己肯定感を与えたんです。自分に自信を持てた。だから今度は、自分が他人を愛し、他人に愛と寛容の精神を示そうと行動する。ジャヴェール警部は正義を振りかざしますが、誰からも愛されません。そして彼のやり方からは憎しみしか生まれない」

――いまの管理教育の問題点を象徴しているような喩えです。

「2018年に東海道新幹線の車内で、殺傷事件がありましたね？」

――22歳の若者が、乗客の男女3人を無差別に刃物で殺傷した事件です。

「あれも、〝自分なんてどうでもいい存在だ〟という感情が、犯人にあるように思うんです。自己肯定感が極端に低い。一方で、そういう自分を無視している世間が許せない。

『風の谷のナウシカ』の巨神兵とか、『新世紀エヴァンゲリオン』とか、ああいう世紀末思想のアニメ世界が共感されるのも、自分がいなくなっていいなら、世界も破滅すればいい、という破壊願望とつながっているような気がします。

管理教育の行き着く先は、〝自分でものを考えない〟ばかりか、〝自分に自信が持てない〟人間の量産です。企業の戦力になる、ならないという以前に、殺傷事件のような悲惨な事件にもつながってしまう。子どもたちから、自分で考える力を奪ってはいけません。彼らから、自由を奪ってはならないのです」

第二章

学校の〝いま〟、家庭の〝いま〟

座談会／尾木直樹
西郷孝彦
吉原　毅
進行・保坂展人

「同調圧力」に苦しむ子どもたち

保坂　「学校のいま」ということについて、みなさんのご意見を伺いたいと思います。

まず西郷校長。いまは小学校でも中学校でも、学校というリズムから外れてしまう――「適応」という言葉はとても嫌な言葉ですが――適応できないことで悩んでいるお子さんも親御さんも多い。そういう現実があります。うまくなじむことができなくて、学校に行かない、行けないお子さんが世田谷区でも増えています。不登校の小中学生は、5年ほど前は500人台だったのですが、いまは800人台です。これは非常に深刻な問題です。いまの学校で生きづらい子どもたちにも、学習権があります。彼らが学ぶ場を確保するためには、公立学校が間口を広げ、いろんな可能性を引き出していくような教育に変化させていかなければならない。切実にそう思っています。

先ほどから話題に上っている「インクルーシブ教育」は、まさに学校に適応できなくて困っている子どものためにあると思うのですが、西郷校長が考えるインクルーシブとは？

西郷　いろんな個性がある子が同じ場所で学べる、一緒にいられるということが「インク

会場には、現役の子育て世代だけでなく、地域の小学生から大学生、子育てを終えた地域のみなさんの姿も。

ルーシブ」だと日本ではいわれますが、これはちょっと違うのではないかと思っているんです。なぜならば、こういう考え方の背景には「同じ場所で学べ」「一緒にいなさい」という〝無言のプレッシャー〟があるからです。私はこれを「同調圧力」と呼んでいます。

これは実際にあった例なのですが、フィンランドの現地校で何も問題のなかった日本人の子が、日本に戻ってきて、日本の中学校に転校してきたら、教室に入れなくなってしまった。これは、この子だけの問題ではありません。日本とフィンランドの教育は違う、と片付けてしまっていい問題でもない。

もうひとつ、これも実際の例です。ニュー

ジーランドの学校に通っていた子が、高校進学を前に、日本の中学校を体験しようと一時帰国しました。少しでも日本の学校の雰囲気に慣れようと、桜丘中学校に体験入学したんです。3日間の体験の予定だったのですが、1日目が終わったときに、「朝から6時間も座っていられません。ぼくには日本の学校は無理です」と、帰ってしまった。

保坂　自由といわれる桜丘中学校でも無理だったんですか？

西郷　ええ。私はそのくらい、日本の子どもを取り巻く環境には、有形無形のプレッシャーがあるのだと考えています。外から来た子には、それがはっきりと見えてしまう。

「インクルーシブ教育」もこの文脈の中にあります。

インクルーシブ教育実践校を数多く見てきましたが、実は、どこもそれほどうまくいっていません。その原因は、日本の社会にあります。具体的に言うと、〝みんなと同じじゃなくちゃいけない〟という日本独特の価値観です。これが「同調圧力」ですね。「出る杭は打たれる」ということわざがあるように、この考え方は日本の社会に根深くあります。

では実際、〝みんなと同じじゃなくちゃいけない〟と強要されたらどうでしょうか？帰国子女や不登校の子どもたち、発達障害の子どもたちだけでなく、いま会場にいるみな

さんも含めて、私たちみんなが生きづらいのではないかと思うんです。いつも周りを気にしていて、いつもみんなと同じにするにはどうしたらいいのかと考えている。そうじゃありませんか？　生きづらさの原因がそこにあるとしたら、そこから変えていかなくてはなりません。

吉原　同感です。日本には、学校にも会社にも地域社会にも、規則やルール、暗黙の決まりがたくさんあります。そこから外れると、規則やルールを盾にして、一部の人間をつまはじきにしたり、いじめたり、ということが起こってくる。これは構造的な問題です。

校則をなくしたらいじめもなくなった

吉原　普段、ルールや規則に従っている人間たちは、誰かがそこからちょっと外れると「あいつだけずるい」と集中攻撃する。これが「いじめ」なんです。

保坂　いじめをなくすにはどうしたらいいと思いますか？

西郷　小学校では、「仲間を大切に」とか、「絆」ということをことさらスローガンにしていますが、実はそれが「同調圧力」になって、むしろいじめを増長させています。だって、みんなと違うことをしたら、仲間の和が乱れるわけですから。

吉原　おっしゃる通りです。ではいじめをなくすにはどうしたらいいか、といえば、構造を変えればいい。ルールや規則を撤廃すればいいんです。例えば、いま、桜丘中学校に校則はありません。校則があった時代と、なかった時代を比べたら、後者のほうが、いじめが少なくなっているんじゃありませんか？

西郷　ええ。校則がなくなってから、いじめというじめはありません。

　ただし、どうしても1年生の最初のうちは、いじめが見受けられます。なぜかと言うと、彼らは、小学校6年間で、〝同じじゃないといけない〟という教育をたたき込まれているからです。それを引きずって入学してきますから、どうしても自分たちと違う人間を探し出して攻撃してしまう。それでも、桜丘中学校で過ごすうちに「みんな違っていいんだ」

「むしろ、違うことが当たり前なんだ」ということに気づいてくるんです。ですから毎年いじめが起こる1年生であっても、2学期の半ばを過ぎると、いじめがなくなってきます。人間関係の行き違いや、確執はもちろんありますが、2年、3年にいじめはまったくありません。

保坂　それはいろんなことを示唆していますね。

ダイバーシティ

吉原　いじめ問題は、学校だけの問題ではありません。

いま、ダイバーシティということが盛んにいわれています。日本語に直すと「多様性」ですね。企業でも、人種・国籍・性・年齢を問わずに多種多様な人材を活用することこそ、ビジネス環境の変化に対応できると考えられています。

つまり、〝みんなと同じじゃなくちゃいけない〟という「同調圧力」の環境で育ってきた子どもたちは、いざ実社会に出ると、実はまったく役に立たなくなるということです。多様な価値観に対応していくことができず、人と違う考えやアイデアの大切さが理解できないのです。

SDGs《エスディージーズ》（Sustainable Development Goals）なんてこともいわれるようになってきましたが、「持続可能な開発目標（SDGs）」を持つためには、多様性が鍵になります。

日本は長らく、会社では男性優位の社会でしたが、これからは女性が活躍しやすい環境にしていかなければいけません。

セクシュアル・マイノリティ（性的少数者）のLGBTs《エルジービーティーズ》もそうですね。LGBTsをひとつの個性、多様性としてどう生かしていくか。シングルマザー、シングルファーザーといった社会的弱者になりやすい人たちを、どう生かしていくか。

いろんな立場の人たちがいて、そういう人たちが押し並べて活躍できる環境が整っていない会社は、これからはどんどん潰れていくと思うんです。自分たちと違う人間をいじめたり、色眼鏡で見たり、ということではなく、違っているということがいいことだよね、とダイバーシティを実現していかないと、いじめはなくなりません。しかし日本社会の必要以上の規則やルールが、それを阻んでいます。

西郷　そう思います。例えば校則があると、校則を破った子を教員が指導しなければなりません。そうすると、子どもの中から、教員の側に立って、校則を破った子を責める子が出てきます。

吉原　それとは逆に「自由」が担保されている環境では、子どもたちは自分で考えるようになります。そういう環境だと、いじめも生まれにくい。やらされる勉強より、自主的な勉強のほうが伸びますから、学力も高くなる。それに倫理や思いやり、愛情は、校則や規則からは学ぶことができません。

正義感が招くいじめ

保坂　最近はテレビを見ていても、誰かの失敗をこれでもかと、引きずり下ろすまで責め続けることが多いですよね。そのあと、責め立てられていた人間や組織が、うまくいったとか、悪かったことが改善したとか、そういう情報がない。ダメだと責め立てることに共感し、誰かのせいにするクセがついている。

尾木　それは本当に日本社会にとってマイナスですね。

保坂　教育問題に即していうと、オランダ在住のリヒテルルズ直子さんによれば、オランダには、人口密度によって、200～300人程度の保護者の署名を集めれば、誰でも学校を設立できるという制度があるそうです。そのかわり、その学校を設立した責任が保護者にあります。保護者も学校だけに任せず、積極的に学校に関わります（＊）。私が視察した中学校は、給食の時間に教員の姿はなく保護者のみなさんがいました。もちろん、主役は子どもたちなのですが、子ども、保護者、教員が協力して学校を作り上げていっています。さすがにいまは学校が増えすぎて、細かな要件が変更されたようですが、「学校を作る自由」があることには変わりありませんし、保護者は変わらず、学校教育の責任の一端を担っています。

一方の日本は、なんでもかんでも「学校にお願いします」ですよね？　しつけや校外指導を学校任せにしてしまうことが多い。で、何か問題が起こると、「学校が悪い」「教員が悪い」と責め立てる。こういう風潮は、転換していかないとダメだと考えているのですが、いかがでしょうか？

＊出典：『親子が幸せになる　子どもの学び大革命』（保坂展人、リヒテルズ直子共著／ほんの木）

尾木　そう思いますね。

日本ではいま、「自己責任論」が流行っています。ある面では、自己責任は必要です。ではなぜ自己責任をとらなければならないかというと、自己決定をしているからです。決定には責任が伴う。これは当たり前です。ところが日本では、特に子どもたちには自己決定権がほとんどありません。規則やルールでがんじがらめになっていて、自分で決められないことが多いのです。それなのに結果責任だけとらされる。規則だからという理由で責任を押しつけられる。これが実情です。

吉原　いまの自己責任論は、まさに「いじめ」ですね。

尾木　ええ、そうなんです。私は、学校現場のいじめ問題に35年以上関わっていますが、特に最近は、いじめ加害者の意識が変わってきています。決して肯定しているわけではありませんが、1980年代までは、まだいじめている側に、いじめているという自覚があった。でもいまは違います。自分がいじめたという意識がどんどん希薄になっている。

いじめている子どもに聞くと、みな口を揃えて言うんです。「いじめていません」って。最初は、誤魔化しているだけじゃないかって思っていたんです。でも、そうじゃないんです。本当にそう思っている。本人の心情の中では、いじめではないんです。例えば「ぼくは学級委員だから、注意していただけ」と。でも、やられているほうは、たまったものではありません。「いじめられている」という感覚を持っていますし、そのことに傷つき、悩み、苦しんでいます。

吉原　まさに規則やルールが、間違った正義感を生み出しています。

先生がいじめを主導する

尾木　被害者の子はよく、「先生もいじめた」と言います。私も教員をしていましたから、どこかで「先生がいじめるわけがない」と思っていましたが、そうじゃないんですね。最近は神戸市須磨区の教員同士のいじめが発覚したりして、世間では教員であってもいじめるという印象をお持ちかもしれませんが……。

こんなケースを考えてみてください。

あるとき、ある子が遅刻してしまった。それを先生が、みんなの前で注意するわけです。するとどうなるかというと、「じゃあ自分も注意しよう」という子が出てくるのです。それがエスカレートすると、ちょっとでも遅刻すると責め立てるということになり、それが集団いじめにつながっていきます。

もうひとつは、おせっかいをやく子が出てくるんですね。うっかりしたら、「迎えにいってあげよう」という子が出てくる。迎えに来られる側にすると、プレッシャーといったらありません。友だちが迎えにいったことで、不登校になってしまうケースもあるのです。「学校に遅れる」という背景には、もっと複雑な事情が隠されていることが多いのです。発達障害の問題もあるかもしれない。貧困など家庭の事情もあるでしょう。何らかの精神疾患を抱えているのかもしれない。でも、そういう事情を鑑みないで、「遅刻をしてはいけない」というルールで、一方的に切って捨てる。

一事が万事この調子で、みんなと違う行動を即座にとがめられる、という環境が形成されてしまうと、それがいじめになっていくのです。ルールや規則があればあるほど、いじめは発生しやすい。これは動かしがたい事実です。西郷校長が「校則をなくして以降の桜丘中学校にはいじめがほとんどない」とおっしゃっていましたが、それを考えても、規則といじめの因果関係を裏づけていると思います。

校則「給食中は牛乳をしっかり飲む」

吉原　校則が、結局、いじめの原因になっている。そのことはもっと、私たちが危機感を覚えなければいけません。そういえば、世田谷区は中学校の校則を公開されたそうですね。

保坂　区議会で議員から校則に関する質問が出たことをきっかけに、教育委員会が公開に踏み切りました。「ブラック校則」という言葉もありますが、実際、どんな校則があるのか、その学校の外部の人には、なかなかわからないようになっていたんです。そこで、教育委員会が主導して、各校の公式ホームページから、誰もが見られるようになりました。

吉原　実際に、保坂さんが見てどうでしたか？

保坂　「給食中は牛乳をしっかり飲む」とか、そういう、どうみても不要な校則がありました。「ワイシャツ、ブラウスの色は白、下着も白を基本とする」という細かい指定も、合理的な理由がありません。これはやはりおかしいな、と。公開をきっかけに見えてきたことです。そこで、第一段階として、明らかに子どもたちの人権を無視するような、男女別の髪形規定や、下着の色に関する校則を見直し、２０２０年４月から一斉に廃止することにしました。

吉原　私は校則のない麻布で学んでいたということもあって、校則の必要性がまったくわからないんです（笑）。なぜ日本では、こんなおかしな校則ができてしまったのでしょうか。都立高校では「地毛証明書」を提出させていたところもありましたよね。多種多様な人材に活躍してもらおうという時代に、髪の色に何の問題があるのでしょうか。

尾木　「地毛証明書」、本当にあれは、人権侵害です。都立高校では、調べてみたらその6割に、「地毛証明が必要」という校則があったようですね。教育委員会が口頭でそういう校則をやめるようにいいましたが、すぐには改善されませんでした。2019年9月に、あらためて文書通達をしたばかりです。東京の公立高校でこのレベルですから、全国でみると、もっと大変なことになっているのではないでしょうか。教育界は、残念なことに時代に逆行しているのです。そんな中で、世田谷区が人権侵害だけはやめましょう、理不尽な校則は一掃しましょう、と先頭をきって改革してくれたのは、本当にうれしいことです。

ただこれからは、さらに一歩踏み込んで、校則を変えるのも、校則を決めるのも、子どもたちが関わるようにしていかないとダメ。大人が勝手に変えてしまうのはよくありません。桜丘中学校も、生徒の発案で校則をなくしていった。それが素敵なところです。私の持論は、校則を持つなら、「校則の改正のルール」をきちんと条文化すること。それがなくて、ただ、ああしろ、こうしろ、と書いてあるなら、それはただの押しつけです。

［注］都立学校では2022年度から「髪を一律に黒色に染める」「ツーブロックの禁止」「謹慎は校内別室ではなく、自宅で行う」「下着の色指定」「『高校生らしい』など曖昧な表現での指導」の校則5項目を全廃。「『地毛証明書』の任意提出」は一部の学校で存続となった。

校則違反で切符を切る学校も

保坂　以前、『校則本』（学校解放新聞編／労働教育センター）という本を作ったことがあるんです。1980年代の半ばのことです。全国の生徒手帳を集めて、突飛な校則を収集したんです。実はこのちょっと前あたりから、校則が厳しくなっていったんですね。

1970年代の初めは、学生運動などの影響もあって、都立高校などで制服の自由化が広まるなど、「校則は生徒が決めるべきだ」という流れがありました。ところが、70年代後半から、校内暴力の時代になってしまった。本当なら、自由化や自主化の流れと、校内暴力との因果関係をきちんと検証しなければならなかったのですが、教育界はすぐに、校内暴力の対抗策として管理教育に舵を切ってしまった。

校則違反切符を切る学校もありました。ともかくこの時期の学校は、荒れている生徒を抑えつけるため、校則を厳しくし、管理を徹底した。

西郷　私が80年代に教えていた公立中学校では、廊下で段ボールを燃やして焚き火をしている生徒がいました。教員の体罰は当たり前で、中学校に入学してきた子どもたちを教員が力で押さえつけていたんです。ところが、2、3年生になると、そういうわけにもいきません。体も大きくなってくるので、力では押さえつけられない。結局、学年が進むと生徒は教員を馬鹿にするようになり、学校の荒れた雰囲気はそのまま継続していきました。

保坂　いじめもひどかったんじゃないですか？

西郷　ええ。私の教え子ではありませんでしたが、赴任している最中に、いじめを苦にした自殺もありました。いまでも、その子を知っていたら救えたんじゃないかと、悔いています。私が「すべての子どもたちが3年間、楽しく過ごせるにはどうしたらいいか」と考え続けている根っこには、このときの後悔があるのかもしれません。

校則見直しの動き

保坂　私が見てきた学校でも、校則が厳しいところは、いじめがひどいという印象があります。管理を厳しくすると、子どもは一見おとなしくなります。でもそれは、表面的なものです。子どもたちは、理不尽に厳しくされることで歪んでしまった力を、先生から見えないところで「いじめ」という形で吐き出すようになりました。それが80年代後半の学校です。

それから長らくいじめは続き――いまも続いていますが――おかしな校則も変わることなく、そのままになってしまっています。桜丘中学校が校則をなくしてニュースになったこともあって、ようやく校則見直しの気運が高まってきたのだと思います。

吉原　桜丘中学校や、世田谷区の校則見直しの動きが、全国に広まるといいですね。

保坂　広がらざるを得ないのではないでしょうか。このところ議員や自治体による桜丘中学校の視察がありましたが、聞くところではその視察で、桜丘中学校の取り組みに反発したり、首をかしげたり、という反応はなかったと聞いています。桜丘中学校はこういう学校なのだと受け止められた。それは大きなことです。議員によって考え方は異なるはずなのですが、どの議員からも「区立中学校の中でどうしてこの学校だけ許しているのか」という発言が出ない。むしろ、「どうしてこれが広がらないのか」という発言が出てきています。ということは、桜丘中学校の校則をなくしたというニュースも、広く前向きに受け止められる土壌があるということでしょう。

それだけじゃなくて、合理的という観点からもおかしい校則が多いのですが。

吉原　例えば？

保坂　「授業開始の5分前には必ず着席しておくこと」とか。なぜ5分前でなければならないのか。なぜ校則で決められているのか。そこにはまったく、合理的な理由がありません。「学校に教科書やノートを置いて帰ってはいけない」というのもそうですね。「カバンが重くて子どもたちが大変だ」という声をよく耳にしますが、なぜそうなっているかといえば、校則で決められているから。やはりこの決まりにも合理的な説明ができません。子どもたちから「なぜ？」と聞かれて、説明のできない校則は、やはり何かが間違っているのだと思います。

外見を規則で縛る

保坂　いちばん問題なのが、外見を規定する校則ですね。桜丘中学校では、いまはまったくないんですか?

西郷　現在、桜丘中学校には、校則の代わりに「桜丘中学校の心得」という3か条があります。「礼儀を大切にする」「出会いを大切にする」「自分を大切にする」という3つです。もちろん、外見に関する決まりはありませんから、みな、めいめいに個性を出していますよ。あえてネクタイを締めてくる女の子もいれば、金髪にしている子もいます。ピアスやお化粧も自由です。だからってその子たちが、世間が考えるような不良かというと、まったくそんなことはありません。単におしゃれとして楽しんでいる。実際、社会に出ればおしゃれは当たり前です。それを「中学生らしくしろ」という抽象的な縛りで、押さえ込むほうがおかしい。

保坂　しかし残念ながら、外面的な形を重視する校則が、いまなお根強く残っています。

生まれながらにして茶色い髪の子が黒く染めるとか、縮れ毛の子がストレートパーマをかけるとか、それはやはりおかしい。見た目で差別していい、と校則が助長しているようなものです。西郷校長がいう「同調圧力」ですね。みんな同じじゃなくちゃいけない、というプレッシャーが、日本の学校では強すぎる。

西郷　教えている側の教員もそういう教育を受けてきたので、強く意識しないと、教員が「同調圧力」に飲み込まれてしまうんです。

保坂　外面が同じでなくてはならない、という間違った考え方は子どもたちにも浸透していて、実際、平均身長よりずっと身長の低い子がクラスの中でからかわれたり、恥ずかしい思いをしたり、ということもあるようです。それがいじめにつながった例もある。その逆もあって、突出して背が高いとやっぱりいじめられる。体形まで横並びで、平均身長前後だったらいい、というわけです。身長なんて、自分ではどうにもしようがないのに。

尾木　見た目も含めて、その個人の大切な個性であるということを学校現場から認めていかないといけないと思います。

保坂　２０１９年に生まれた子どもは、とうとう90万人を切りました。わずか86万４００

0人です（厚生労働省2019年人口動態統計）。6％近い急激な減少率で、1899年の統計開始以来、初めて90万人を下回ったそうです。となると今後、足りない労働力を補う必要が生じますので、いろいろな国や地域の出身の方がこれまで以上に、労働力として日本に入ってくるでしょう。

吉原　間違いなくダイバーシティの時代ですね。これからは、同調圧力ではなく、むしろ多様性の社会の中でどう自分を出していくか、が問われる時代になるはずです。

保坂　おっしゃる通り、日本はいよいよ多文化共生時代に入っていきます。すでに新宿区や豊島区では、成人式年齢の20歳の人口の約4割は、外国出身の方です。都心部の小中学校では、クラスの半分が日本以外の国をルーツに持っている、というのが珍しくなくなりました。

世田谷区は92万人もの人が暮らしていますので、人口規模が大きい分、パーセンテージでは少ないのですが、区内に外国出身の方が2万数千人います。そうすると、そもそも、肌の色やヘアスタイル、信仰などが違うわけで、それを校則で一律何かにはめることはできるのか。できませんよね？　明らかな差別ですから。相手に対しての敬意も欠いている。

桜丘中学校では、子どもたちが思い思いの髪形や服装で個性を見せている。年に1度、浴衣で一日を過ごす日もある。

そういうことが、これから問われてくるのだと思います。

西郷　桜丘中学校でも、ハーフ——最近は「ダブル」というんだそうですが——の子も相当数いますし、外国出身の子や帰国子女も増えました。中には、一般的な日本人と見た目が異なるという理由で、小学校時代にいじめられていた、という子がいます。「みんなが違って当たり前」となれば、そういういじめは起きません。校則が、みんなと違うことを認めない装置になっているのなら、やはりなくすべきでしょう。

「私学だからいじめがない」は幻想

保坂　いじめに関しては、保護者の方も心配が尽きないと思います。

世田谷区は、私立中学校を受験する子たちが多く、2018年度の数字でいうと、私立中学校進学率が、都内全体では17・9%なのに対し、世田谷では実に33・7%にのぼります（東京都教育委員会「令和元年度公立学校統計調査報告書【公立学校卒業者（平成30年度）の進路状況調査編】」）。世田谷の小学生のおよそ3人に1人が、私立中学校に進みます。受験者数でいうと、半数近くが受験しているかもしれません。子どもたちの中には、小学校でいじめられたとか、いじめのない学校に行きたいとか、そういう理由で中学受験をしている子も少なくないようです。

尾木　おっしゃる通りで、私立中学校を逃げ場にする子もたくさんいます。ただこれは、注意が必要です。実際の例でいうと、私のところにいじめ相談に来るのは、小学生にしても中学生にしても、割合として私学の子どものほうが多いんです。私学の先生方のレベルや面倒見が公立中学校より相対的にいい、ということはたしかにあります。でも、いじめは独特の論理で起きます。私立は校則が厳しいところも多いですから、それがいじめを生んでいる場合もあります。

では、いじめが起きたとき、どうすればいいか。公立の場合は、教育委員会に訴えるという方法があります。教育委員会には問題点も多々ありますが、それでも、ちゃんと世間に目を向けています。いじめに関するさまざまな研修も増えています。

ところが私学はというと、教育委員会の範疇にありません。私学で起きた問題には関知できないんですね。ですから、もし私学でいじめがあったとしても、教育委員会は手を出せません。私学のすべてがダメだといっているわけではありません。偏差値の高さといじめの有無は関係ないということです。私学だからいじめが起きない、ということではない。このあたりをわかったうえで、進学する学校を選ばれるべきかと思います。

ほっとスクール希望丘

保坂　学校に行きづらい子が増えたということもあって、最近は、フリースクール自体、増加しています。全国にだいたい400〜500あるといわれています。

実はフリースクール増加の背景にはもうひとつ、2016年12月に「教育機会確保法」という法律の成立があります。翌2017年2月から施行されていますが、この法律は画期的なものです。これは、不登校の児童・生徒が教育を受ける機会を失わないように定められた法律なのですが、要は、「どうしても無理なら、学校に行かなくていいよ」という法律です。その代わり、学校外の教育機関――つまりフリースクールを法的に支えようということでもあります。もっと具体的に言うと、いままで文科省は、学校の中にしか教育はないという考え方でしたが、学校の外にも子どもが学び成長する権利がある、ということを認めたのです。

いままで、フリースクールや夜間中学が法的にきちんと位置づけられていませんでした。学校に行けない子どもは、公的機関でいうと「教育支援センター」や「適応指導教室」といった教育委員会などが設置する施設しかありませんでした。しかしこれからは、フリースクールが選択肢のひとつに入ってきます。この法律ができたおかげで、世田谷区に「ほっとスクール希望丘」という公設民営のフリースクールができました。その運営を委託しているのは1980年代からフリースクールを運営してきた実績のある「東京シューレ」です。そこがプログラムを作り、子どもたちを受け入れています。

法律が変わったからこそ、思い切ってできたことなのですが、いまの悩みは希望者が多すぎて待機が出ていることです。本来なら、公立中学校がいろいろな子たちの受け皿になることが理想なのですが……。

そういった意味で、桜丘中学校は、かつて不登校だった子たちの受け皿の役割を果たしてくれています。

西郷　一概に不登校といっても、一人ひとり理由が異なります。公立中学校であれ、フリースクールであれ、大事なのは、一人ひとりとどう向き合うか。最近、生きづらさを抱えている子たちの中で気になるのは、「教育虐待」です。これが増加しているという印象があります。

高学歴の親に多い教育虐待

保坂　教育虐待について、詳しく話していただけますか？

西郷　虐待といってもいろいろあって、一般的にいわれているのは、理解がない親からの虐待です。貧困などが背景にあることが多く、身体的虐待や性的虐待、心理的虐待、ネグレクトなど、「しつけ」と称して子どもを追い詰めます。これらは、毎日のようにニュースになっています。

そしてもうひとつ、わかりにくい虐待があります。それが「教育虐待」です。

どういうことかと言うと、度を超した教育ママ、教育パパがいて、子育てに必要な環境を与えず、勉強ばかりを強いる。例えば、テストで平均70点をとっている子がいたとしましょう。次はがんばって80点とった。クラスの平均も上回った。本来なら、「がんばったね」とねぎらうべきところですが、中には「なぜ20点も間違えたんだ」「努力が足りないから100点をとれないんじゃないか」と追い込む親がいます。

保坂 例えば、「○○高校に合格しなければ、うちの子ではない」とか、「最低でも○○大学に行け」と強いるケースでしょうか。

西郷 ええ。国家公務員や大企業の社員など、世間でエリートと呼ばれている親に、教育虐待が多いように感じます。両親ともに高学歴、というケースが大半です。教育熱心の度が過ぎている。

もうひとつは、両親のどちらかが成し遂げられなかったことを、子どもを代理にして実現しようとする場合もあります。

保坂　自分の人生のやり直しを子どもに求める、ということですね。自分ができなかったことを子どもに実現してもらいたい、と強く願う。一見、愛情のようにも見えますが、実は親のエゴと価値観を押しつけているに過ぎませんね。

西郷　精神のバランスを崩したり、つぶれてしまったりする子が本当に多くいます。最近は児童相談所でも、教育虐待を理由に親子分離をするケースもあるようですが、実情はというと、なかなか受け付けてくれません。なぜなら教育虐待の多くは、身体的暴力を伴わないことが多い。いい成績を子どもに望むのは当然だという考え方もあります。ですから何か起こっても、家庭の事情だと受け取られ、なかなか虐待だと認識してもらえないのです。

保坂　ある調査によると、夫婦間でよく話す会話の内容は、8割近くが「子どものこと」だそうです（2019年6月／しゅふJOB総研調べ）。子どもの教育や子どもの学校の話題が会話の中心だということです。「子は鎹《かすがい》」ともいいますが、これはあまりにも極端ではないでしょうか。

しかも塾に通う小学生が、父親よりも帰宅が遅いということが当たり前になってきています。そうでもしないと、私立中学校に合格できないという。考えてみればこれはおかしなことで、私立中学校の総数が減っていない中で、子どものほうは総数が激減しているわけですから、本来は受験もゆるくなっていくはずなんです。しかしそれだと教育産業がもうからない。だから「受験は厳しい」とあおり立てるのです。

西郷　桜丘中学校の子どもたちの中にも、塾や習い事に複数通っている子どもはいます。子どもが進んでやっているならいいのですが、少なからず、親からのプレッシャーが見え隠れしています。

口うるさい父親が子どもを追い込む

西郷　興味深い、というと語弊がありますが、2018年度に桜丘中学校で行ったアンケートを分析した資料があるのですが、それによると、特に父親が勉強に口うるさいケースは、子どもの自己肯定感も成績も低下する傾向にあることがわかりました。

保坂　教育虐待の主導者は、父親というわけですか？

西郷　すべてがそうとは言い切れませんが、日本の社会は依然として、父親が主として働くというケースが多いですよね。当然、母親と比べて、子どもと接する時間が短い。接する時間が長い母親から口うるさく言われるのと、たまに顔をあわせた父親から叱責されるのでは、子どもの受け止め方が違う。

教育虐待の中には実際、会社でうまくいっていない父親が、そのイライラを子どもにぶつけているというケースも見受けられます。感情をぶつけられた子どもは萎縮し、自信を失っていきます。当然、自己肯定感も下がります。いずれにせよ、親が子どもにあれこれ細かく口を出して、いいことなどひとつもありません。

保坂　私は長年、教育ジャーナリストとして子どもたちに関わってきました。親に受験する学校を決められ、挙げ句、受験に失敗したことで、親から「お前の人生は終わった」と罵られ、家庭内暴力に発展したケースを取材したことがあります。子どもは小さいときは親の言うことを聞くので、子どもがあたかも自分の分身のように錯覚してしまう。それが教育虐待を生み出してしまうのでしょう。

子どもと親は、別個の人格です。育った時代も違えば、個性も異なります。ましてや、子どもは親の所有物ではありません。そのことは肝に銘じたいと思います。

「勉強しろ！」は教育虐待

西郷孝彦（世田谷区立桜丘中学校前校長）

――教育虐待について危機感を持っている、ということでしたが、詳しく教えていただけますか？

「教育虐待というのは、〝見えない虐待〟です。日本においては〝教育熱心〟という言葉で虐待の実態が見えなくなっているのです」

――どう違うのでしょうか。

「子どもには成長の過程でその年齢に必要なことってありますよね？　例えば一緒に外で遊ぶとか、添い寝をしてあげるとか、読み聞かせをするとか。そういう遊びやスキンシップがすっぽり抜け落ちて、小さい頃から〝勉強しろ〟と駆り立てる。中には、幼稚園や保育園に預ける前から、塾に通わせる親もいます。
海外では、〝教育虐待〟という問題が認識されていて、行き過ぎた親は関係各所から厳しく指摘されます。ところが日本では、〝あの家庭は教育熱心だ〟という言葉で捉えられ、賞賛されることさえあります」

――目黒虐待死事件を思い出しました。2018年に5歳女児が、両親から虐待され死亡したとされる事件ですが、父親は「朝4時から勉強する」と女児に約束させ、九九や平仮名の練習をさせていたといいます。そして約束を守れないと、「しつけ」と称して暴力を加え、死に至らしめました。

名古屋市でも2016年、父親が中学受験を控えた小学6年生の長男に対し、刃物で脅して勉強を強要し、ついには胸を包丁で刺して殺す、という事件がありました。父親は日頃から受験勉強を見てやっていたそうですが、「おれが書けって言えば、死ぬほど書け。覚えろと言ったことは全部覚えろ！」と怒鳴っていたそうです。

「痛ましい事件です。この事件は、最悪の結果を招いたために、明るみに出ました。しかし、そうなっていないだけで、親から追い詰められている子どもはたくさんいます。むしろ、増えているという印象を持っています。桜丘中学校でも、教育虐待が疑われる子が何人もいます」

——児童相談所に通報することはできないのでしょうか。

「現状としては、なかなか虐待として扱ってもらえません。そもそも児相は、なかなか家庭の事情に立ち入りたがりません。教育虐待で追い詰められた子がリストカットしても、そのことの背景に教育虐待があったとは考えないんです」

——教育虐待をしてしまう親は、どういった人が多いんですか？

「ひとつは、両親のどちらかが、自分が成し遂げられなかったことを子どもに強いる場合。子どもを自分の代理として、成し遂げようとするケースが多いんです。例えば自分は医者になろうとしていたがなれず、自分の子にその夢を託して、小さい頃から勉強漬けにする。大学に行きたかったけれど行けなかった親が、子どもを大学に進学させるために、追い込むというのもよくあります。もちろん、子どもに対して〝自分より幸せになってほしい〟と思う気持ちは、誰しも持っていると思いますが、それが極端でかつ病的であるということです」

「良い学校に行かせたい」のはなぜ？

「『代理ミュンヒハウゼン症候群』という病名を聞いたことがありますか？

ほかの人に自分のつらさをわかってほしい。ほかの人に認められたい。そういった願望を、自分以外の人間を傷つけ、それを世話することで満たそうとする精神障害の一種です。たいていの場合、自分の子どもに毒を盛ったり、傷つけたりして、そういうかわいそうなわが子を看病している子煩悩な親、という役割を演じます。

教育虐待は、これに似ている。例えば子どもが東大に入ったとしましょう。東大に入ったのは子どもががんばったからだと思いますが、こういう親はそう思わない。『こんな出来のいい素晴らしい子を育てた私はなんていい親だ』となる。自分が賞賛されたいし、自分が認められたいのです。受験体験本の多くは、〝わが子をこうして難関校に入れた〟という自慢本です。

それにもうひとつ考えてほしいのは、いい高校、いい大学に入ることがはたして幸せでしょうか。いい大学を出て、いい会社に入れば安泰という時代ではありません。大事なのは、自分で考えること。自分の好きなことを見つけること。そのためにやるべきことは、塾通いではありません」

――しかし親は、古い価値観に縛られたままです。

「しかも親が〝いい学校に行かせたい〟と強く願うその裏で、子どもたちが苦しんでいる。考えてみてください、偏差値の高い高校、偏差値の高い大学に進ませたがるのは、実際は親が賞賛を得るためなんですから。教育熱心な親が多い、といわれる地域には、そうやって子どもを追い込んでいる親が多くいます。桜丘中学校でも例外ではありません」

――たしかに、世間では「わが子を東大に入れた」という親を持てはやします。

「親が東大を望み、子どもがそれに応えた。目に見える結果が出ている場合は、問題が覆い隠されます。でも全員が全員、そういうことにはなりません」

――親が望む学校に入れなかった場合は？

「子どもがいちばん傷つきます。親の期待に応えられなかったわけですから。結果、自己肯定感はどんどん下がっていきます。

桜丘中学校には、中学受験を失敗した子どもも入学してきます。最初、そういう子のひとりを見たとき、〝なんでこの子は、こんなにおとなしいのだろう〟と思ったんです。自分の意見を口にする子が多い桜丘中学校にあって、逆の意味で目立っていた。勉強にも熱が入っていない様子で、徐々に問題行動が多くなっていきました。保護者と話をして初めて、この生徒が中学校受験に失敗していたと知りました。以前なら、そういう挫折をした子は、いったん非行に走って大暴れしました。そうすることで、心の中にため込んでいたものを吐き出していた。すると物の怪《け》が落ちたように落ち着いてくるということがありました。ところが最近は、非行に走るという気力も出ない。だからますます自分の中に鬱屈した気持ちをため込んで、気づいたときには手に負えなくなってしまいます」

——そういう挫折を味わった子どもに対して、どう接すればいいのでしょう？

「温かく見守るしかありません。すぐに元気になると考えてはダメ。じっくり時間をかけて見守っていきます。元の自分に戻るには長い時間が必要です。ただ……」

——ただ？

「一度、受験に失敗しているので、せっかく落ち着いたとしても、高校受験でまた不安定になってしまうことも少なくありません。そういう時も、決して本人を追い込んではいけません。中学受験同様、高校受験もそれがすべてではありません。優しく接し、結果ではなく過程を褒めてあげることで、自信を取り戻してあげないといけません」

「わが子はもっとできるはず」は間違い

――教育虐待はなぜなくならないのでしょう？

「親御さんの多くは、自分が受けた教育しか知りません。それを基準に子どもを判断してしまっています。まずそこから改めてほしいと思います。自分たちの時代と、高校や大学のレベル、難易度は変わってきていますし、勉強の内容や受験のやり方も変わりました。何より、世の中が変わってきています。そんな中で、自分の教育観を振りかざすことは、子どもにとってマイナスでしかありません」

――しかし「自分の子ども」と考えると、「もっとできるんじゃないか」と思ってしまいます。

「私にも子どもがいて、そういう思いに駆られそうになったこともありました。でもそこでグッと我慢してください」

――我慢する？

「そうです。先回りすることを我慢する。口うるさく言うことを我慢するんです。例えば、自分の子が、絵がうまかったとしましょう。うれしいですよね？　でもそこで先回りして、すぐに近所の絵画教室に通わせるとか、そういうことが教育虐待につながっていきます。ゴッホや岡本太郎が絵画教室に通っていましたか？　才能があったら、放っておいても一流になります。好きならば言われなくても、その道に進んでいくのです。小さい頃から習い事や塾に通って貴重な時間を消費するよりも、わが子と一緒にボーッとした時間を過ごしてあげたほうが、どれだけいいかわかりません」

ただ見守る

――先ほど、「父親が勉強に口うるさいケースは、子どもの自己肯定感も成績も低下する」とおっしゃっていましたが、もう少し詳しく教えていただけますか。

「これは実際、桜丘中学校の調査結果からもわかっているのですが、どうやら、子どもの自己肯定感、つまり自尊感情には、父親の影響が強いようなんです」

——これは意外でした。

「一緒に過ごす時間が多い母親は、口うるさいのが当たり前だと子どもが認識しているのかもしれません。口うるさい父親は、高学歴というケースが非常に多く、社会的にも高い地位を持っている人が多いんです。その分、ストレスが多いのかもしれませんが、そのはけ口が自分の子どもに向かってしまっている。データによると、父親が〝勉強しろ！〟と強く介入した場合、子どもの自尊感情はガクッと下がります。これに男女差はありません」

——極端に自尊感情が低下するとどうなるのですか？

「男の子の場合は、〝自分は臭いんじゃないか〟と悩んだりします。『自己臭恐怖症』（自臭症）と呼ばれる精神疾患で、自分の臭いが他人を不快にさせているんじゃないかと、常に不安に怯えるようになります。女の子の場合は、〝自分は醜い〟と劣等感を抱えるケースが多いようです。『醜形恐怖症』（身体醜形障害）と呼ばれています。

どちらも『対人恐怖症』のひとつで、実はこの言葉は日本特有の症状とされていて、専門用語も『Taijin kyofusho』とローマ字表記されます。こうしたものをひっくるめて、『社

父親が過干渉だと子の自尊感情が低くなる

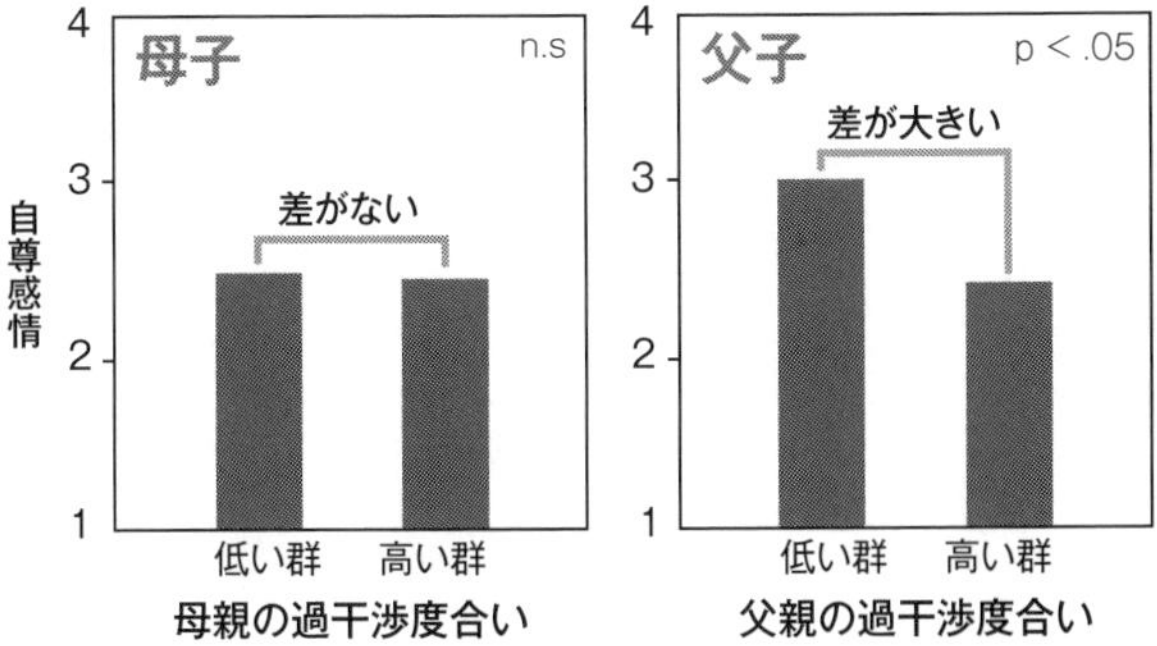

※平均±1SD で高い群・低い群に分けてt 検定を行った結果をグラフ化。
2018年度桜丘中調査より

普段から関わる時間や密度の濃い母親からの過干渉はあまり子どもに影響がないが、日常的に関わりが薄かったり放任している父親からの過干渉は、子どもの自尊感情を下げ、悪影響を与える可能性がある。

交不安障害』と称し、最近、大きな問題になっているのですが、その社交不安障害を引き起こす大きな要因のひとつが、口うるさい親の存在なのです」

――子どもに口うるさくすることは、百害あって一利なし、ですね。

「親に唯一できることは、小さい頃なら一緒に遊ぶこと。それも〝こうしたら子どもの教育によい〟などと考えずに、ひたすら遊びに付き合うこと。中学生以上なら、見守ることだけですね」

第三章

可能性が広がる学校の〝ミライ〟

座談会／尾木直樹
西郷孝彦
吉原　毅
進行・保坂展人

必要とされる「生きる力」

保坂　これまで、桜丘中学校の実践を通して、教育の〝いま〟について話してきました。でも、これだけでは夢も希望もありません。今後どうなっていくか。このあたりをぜひ、語っていただきたいと思います。

尾木　実は、２０２０年というのは、大事な年なんです。２０２０年4月から、新しい指導要領に基づいた授業が小学校で始まります。中学校は２０２１年度から、高校は２０２２年度から、と順番に新しくなっていきます。

保坂　世間では、新しい指導要領によって、小学校でプログラミング教育が始まるほか、英語が教科化されると話題になっています。

尾木　個別にはいろいろと問題がありますが、そのことはさておき、ここで文科省が改正にいたった大前提は、切実です。文科省の解説「中学校学習指導要領（平成29年告示）解説　総則編」に目を通すと、日本は、グローバル化の進展や絶え間ない技術革新、ＡＩ（人工知能）の飛躍的進化などで、いままでにない厳しい時代にあるという認識が示されています。そういう社会では、いままで通りの教育では生き残れない。

では、どうやって子どもたちが生き残っていくか。それが「生きる力」だというんですね。

保坂　具体的に言うと?

尾木　文科省は、「生きる力」をこう説明しています。

《予測困難な社会の変化に主体的に関わり、感性を豊かに働かせながら、どのような未来を創っていくのか、どのように社会や人生をよりよいものにしていくのかという目的を自ら考え、自らの可能性を発揮し、よりよい社会と幸福な人生の創り手となる力》

簡単に言えば、自分の頭でものを考え、自分の頭で新しいものを創り出しなさい、ということ。

最近、「アクティブ・ラーニング」という言葉を耳にされることが多いかもしれませんが、日本語にすると「主体的・対話的で深い学び」という言葉になります。文科省は、生きる力を身につけるためには、アクティブ・ラーニングが必要だと明言しています。

これね、実はすごく大きなことをいっているんです。いままで日本の教育は、「答えはひとつ」だと教えてきました。だからマークシートで採点できるような大学入試でした。ところが、対話的、つまりディスカッションしながら、ひとつとは限らない答えを見つけよう、と変わってきた。そしてそれを、深い学びに落とし込んでいこうと。つまり、日本は戦後初めて授業の定義をガラッと変えたのです。日本は、いままでの知識偏重型の教育では、これからの国際社会では生き残れないと、文科省が認めたわけです。これはとても大きな話だと私は感じています。

保坂　これはここにいる3人のみなさんの危機意識につながる話ですね。

実際、吉原さんの話にもありましたが、日本の産業界は、国際競争の中で苦戦している。日本の政治や社会についても、若者は語る言葉を持っていないし、語ろうともしない。何か口にするときでさえ、「自分の意見はみなさんと同じです」と、過剰同調のような形でしか言えない。

それでよかった時期もあったのでしょう。高度経済成長期の規格品を大量生産すればよかった時代には、「私の意見はみなさんと同じです」で通用した。しかも、その方法が成功を収めてしまった。そのプログラムが、ずっとそのままになっているのかもしれません。

損得勘定で動く人たち

吉原　先ほども話しましたが、いまの教育は「指示待ち族」を大量生産しています。そもそも会社とは利益をあげればいい、というところではありません。

会社の存在意義は、みんなが喜ぶ新しいサービスや新しい製品を生み出すこと。そしてそれによって、社会に貢献することです。「創造する」ことが大事な柱なんですね。これは経営学者の*ピーター・ドラッカーが言っていることです。そういう意味で、「アクティブ・ラーニング」は大歓迎です。

ところが、指示待ち族は、その名の通り、自分では何をしたらいいかわからない。「自分の意見はみなさんと同じです」と学校生活を送ってきてしまったがために、「さあ、新しいものを生み出そう」と言われても、困惑するのです。結果的に、前例踏襲したり、他社の真似をしたりしていくしかない。

保坂　そうなると、会社は停滞してしまいますね。

吉原　日本経済は長いこと停滞していますが、その理由は、指示待ち族ではない人材が育っていない、ということです。新しい製品やサービスが全然生まれなくなっているわけですから、当然そうなります。

おそろしいことに、いま、財界だけでなく、政官財の残りの2つ、政治家も官僚も「指示待ち族」だらけになってきています。官僚は官邸によって管理を強められ、言うことを聞く人間だけが出世する。創造が求められていません。

政治家は、多くの党が政党助成金で成り立っているため、それを分配する党幹部の力が強まっている。やっぱりここでも、管理するようになっている。小選挙区制度なので、公認権も党が握っていますから、党幹部の言うことを聞いたほうが得ということになる。誰も彼もが、損得勘定で動くようになっています。このことが、いろんなところで歪みを生み出しています。

尾木　吉原さんのご指摘は大変重要なことです。損得勘定と「生きる力」はまったく相容れませんから。

＊ピーター・ドラッカー……オーストリア生まれ。現代経営学、マネジメントの祖。自らを社会生態学者と名乗った。

2035年までになくなる職業

尾木　一方で、出口戦略と申しますか、せっかく桜丘中学校のような、誰もが笑って過ごせる「居場所」をつくっても、社会に出たらまったくそうじゃない。例えば、中学校を卒業する間近になると、高校受験がある。テストの点数というひとつの物差しで、選抜してしまうわけです。

社会に出てもそうです。文科省は、「生きる力」を身につけろといいますが、では身につけた力をどう社会が生かしていくのか。いまの企業は、学生に、企業への適応を強制していたわけでしょ？

吉原　そういう側面があります。新卒で一括大量採用し、その会社のやり方やカラーをたき込んでいく。高度成長期に確立した方法です。

尾木　でも本来は逆であるべきです。子どもたちが、社会や企業にどう適応するのかではなく、学んだものをどう生かせるような社会を作るのか。つまり、主客が逆なのです。みんなが幸せを感じながら毎日楽しく仕事ができる会社を作る。それがひいては社会のためになるし、平和な世界にもつながっていく。そういうアイデアを生み出す力なり、考える力を磨くのが学校だと思うんです。社会のために学校があるのではありません。

私は「人材育成」という言葉が好きではありません。そこには、社会や企業に適応する人材を作るという考え方が見え隠れしているからです。人材を作るのではなく、新しい社会を作っていける人を教育していく。いま求められているのはそういうことだと思います。

吉原　実際、そういう転換期にあると思います。心ある経営者は、そういう認識を共通して持っています。

尾木　そう考えると必然的にグローバルな視点で、世界はどうなっているのか、それを見なければなりません。例えばＡＩは、非常に大きい問題です。東大合格を目指すＡＩ「東ロボくん」の開発に携わった、国立情報学研究所社会共有知研究センター長の新井紀子さんによると、「東ロボくん」はすでに、ＭＡＲＣＨ（明治大学、青山学院大学、立教大学、中央大学、法政大学）の合格レベルにあるそうです。文科省の表現を借りると、「ＡＩとの共存時代」がやってくるということです。

保坂　英・オックスフォード大学の研究チームが、「10～20年後になくなる職業、残る職

人工知能やロボット等による代替可能性が高い100種の職業

(50音順、並びは代替可能性確率とは無関係)　野村総合研究所調べ(2015年)

IC生産オペレーター
一般事務員
鋳物工
医療事務員
受付係
AV・通信機器組立・修理工
駅務員
NC研削盤工
NC旋盤工
会計監査係員
加工紙製造工
貸付係事務員
学校事務員
カメラ組立工
機械木工
寄宿舎・寮・マンション管理人
CADオペレーター
給食調理人
教育・研修事務員
行政事務員(国)
行政事務員(県市町村)
銀行窓口係
金属加工・金属製品検査工
金属研磨工
金属材料製造検査工
金属熱処理工
金属プレス工
クリーニング取次店員
計器組立工
警備員
経理事務員
検収・検品係員
検針員
建設作業員
ゴム製品成形工(タイヤ成形を除く)
こん包工
サッシ工
産業廃棄物収集運搬作業員
紙器製造工
自動車組立工
自動車塗装工
出荷・発送係員
じんかい収集作業員
人事係事務員
新聞配達員
診療情報管理士
水産ねり製品製造工
スーパー店員
生産現場事務員
製パン工
製粉工
製本作業員
清涼飲料ルートセールス員
石油精製オペレーター
セメント生産オペレーター
繊維製品検査工
倉庫作業員
惣菜製造工
測量士
宝くじ販売人
タクシー運転者
宅配便配達員
鍛造工
駐車場管理人
通関士
通信販売受付事務員
積卸作業員
データ入力係
電気通信技術者
電算写植オペレーター
電子計算機保守員(IT保守員)
電子部品製造工
電車運転士
道路パトロール隊員
日用品修理ショップ店員
バイク便配達員
発電員
非破壊検査員
ビル施設管理技術者
ビル清掃員
物品購買事務員
プラスチック製品成形工
プロセス製版オペレーター
ボイラーオペレーター
貿易事務員
包装作業員
保管・管理係員
保険事務員
ホテル客室係
マシニングセンター・オペレーター
ミシン縫製工
めっき工
めん類製造工
郵便外務員
郵便事務員
有料道路料金収受員
レジ係
列車清掃員
レンタカー営業所員
路線バス運転者

※職業名は、労働政策研究・研修機構「職務構造に関する研究」に対応

業」を予測していますね。

尾木　そのオックスフォード大学のチームが、野村総合研究所と組んで、国内601種類の職業について、それぞれ人工知能やロボット等で代替される確率を試算しています。

この結果、2025～2035年には、日本の労働人口の約49％がＡＩに置き換わると予測する研究もあります。

ＡＩを使う側の人間に

尾木　ＡＩがどんどん進化するのは間違いありません。「子どもの将来はどうなるのだろう」と心配になると思います。ただしＡＩに仕事をとられる、と考えるよりは、ＡＩにできないことは何か、と考えたほうがいい。

ＯＥＣＤ（経済協力開発機構）が2015年に『エデュケーション2030プロジェクト』を立ち上げ、これからの学校教育をどうすればいいか、徹底的に討論したんです。3年間集中討論し、中間報告の形でまとめたものが発表されていますが、そこに子どもたちに必要な力として、3つ書かれています。

ひとつは「新たな価値を創造する力」。

吉原さんがずっとおっしゃっていることと重なります。AIなどの新しいテクノロジーによって、これまでよりコストをかけずにすむ、と報告書には書かれています。そういうテクノロジーを活用しながら、新しい価値を生み出す力こそ必要だというわけです。つまり、いままでの暗記型の勉強で獲得するような知識は、すべてAIに任せてしまえばいいということです。そのかわり、AIには絶対できないこと——新たな価値の創造を人間が担えばいい。

2つめは、「対立やジレンマを調整する力」。

世界には多様な考え方があります。例えば地球温暖化など利害関係が複雑に入り乱れた問題がたくさんあります。そこにはいろいろな対立やジレンマも生じるでしょう。そうしたときに、戦争などの暴力的な手段を選択するのではなく、他者のニーズや欲望を理解し、解決策をさぐっていく力。これもAIには絶対にできません。

最後は、「責任ある行動をとる力」。

「自己を客観視できる力」と言い換えてもいいでしょう。「自分は何をすべきか」「それをしたことは正しかったのか」ということを常に自分に問いかけるということです。

保坂　どれも大切ですね。

尾木　文科省は、こんなことを言っています。

《人工知能が自ら知識を概念的に理解し、思考し始めているとも言われ、雇用の在り方や学校において獲得する知識の意味にも大きな変化をもたらすのではないかとの予測も示されている。このことは同時に、人工知能がどれだけ進化し思考できるようになったとしても、その思考の目的を与えたり、目的のよさ・正しさ・美しさを判断したりできるのは人間の最も大きな強みであるということの再認識につながっている》（文部科学省「中学校学習指導要領〔平成29年告示〕解説　総則編」）

どういうことかというと、AIの判断基準や目的を考えるのは、人間だということです。つまりここでも「考える力」が求められているわけです。

京都市立堀川高校の奇跡

尾木　「考える力」を身につけた桜丘中学校の子どもたちは、学力も高くなっているわけですよね。

西郷　はい。自分たちで掘り下げようとする力がついているように思います。

尾木　よくいろんな人から「学力をアップさせるにはどうしたらいいか」と相談されるのですが、多くの人たちが、特進クラスを作ってそこでぎゅうぎゅうに詰め込めば、成績がアップすると思っています。桜丘中学校の反対のやり方です。

西郷　詰め込み型は、短期間では成果が出るかもしれませんが、はたして本当の学力かというと疑問です。それに、子どもたちは学ぶことが楽しくありませんね。

尾木　私もそう思います。

京都に京都市立堀川高等学校という高校があるのですが、ここがすごい。堀川高校はもともと、国公立大学に進学するのは数人という学校でした。それが1999年に「探究科」を設立し、大きく変わった。ゼミ形式の探求型授業を取り入れ、自分の関心のある、例えば、琵琶湖の水の汚染を少なくするにはどうしたらいいか、というようなテーマを定めて、3年間、追究を続けるのです。京都大学の大学院生などが授業に参加して支援もしたそうです。

吉原　それは面白そうな授業ですね。どう変わったのですか？

尾木　大学に何人入ったかというのがすべてではありませんが、探究科1期生が卒業した2002年には、240人のうち、国公立大学への現役合格者数が前年の6人から106人に増えたそうです。そうしていまでは京大に何人も送り込む、京都随一の進学校になりました。

ここの校長は、説明会で「京大に進学することそのものが目的なら、むしろ堀川高校には来ないでほしい」と受験生の保護者に話されていたくらいだそうです。

自分の好奇心で突き進んでいけば、おのずとほかの学力もアップするということですね。例えば、蟻の巣に興味があって、将来的にもその研究をしたいとする。どの大学のどの研究室に行けばいいか、子どもは考えるわけです。もし、京大がいいとなれば、たとえ英語が苦手でも数学が嫌いでも、きっとその子は勉強するでしょう。学力というものは、そうして伸びていくのです。

「子どもには無限の可能性がある」といいますが、あれは本当です。「自分で考える力」があれば、可能性はどんどん広がっていく。そのことは、堀川高校や桜丘中学校が示してくれているのだと思います。

非認知能力

西郷　「考える力」でいうと、いま、「非認知能力」に注目しています。桜丘中学校では、研究者を招いて、子どもたちの非認知能力に関する調査を行いました。

保坂　世田谷区でも、総合教育会議で話し合ったことがあります。この会議は2015年に法制化された、首長と教育委員が教育行政の基本方針について協議する場です。世田谷区では独自の教育推進会議と合同で公開により運営され、教育学者の汐見稔幸先生の話を聞いたり、文科省の審議官を呼んで新しい学習指導要領の話を聞いたりしてきたのですが、ここでも「非認知能力」の話題が出たことがありました。

尾木　改訂された「幼稚園教育要領」をみても、幼児期における「非認知能力」の重要性を説いていますね。

西郷　あらためて説明すると、認知能力というのが、いわゆる学力です。IQや学力テスト、偏差値などのように点数化することが可能です。一方で、非認知能力は、数値化されにくいものです。具体的には、「自己に関わる心の力」（自尊感情、忍耐力、動機づけ、自己効力感、達成目標など）と「社会性に関わる心の力」（共感性、向社会性、感情知性など）とに分かれます。最後までやり抜く力やコミュニケーション力も「非認知能力」といえますね。

保坂　なぜ「非認知能力」に注目しているのですか？

西郷　世間的にわかりやすい例を持ち出すと、非認知能力のレベルが、将来の社会的ポジションや収入にも直結することがわかってきたからです。ノーベル賞を受賞した経済学者のジェームズ・J・ヘックマン教授が、「非認知能力」を高めるための教育を受けた子どもたちと、そうでない子どもたちを40歳まで追跡調査した結果、親の収入に関係なく、前者のグループと後者のグループで、歴然とした差が出たというのです。前者のグループは、社会的成功を収めた率が圧倒的に高かったのです。

正直にいえば、子どもたちを見ていると、学力では決して割り切れないと思うんです。高校の面接試験。校長室によく来るような、裏を返せば生きづらさを抱えている子どもたちの何人かが、面接を受けてきたときのことです。学力的にはちょっと厳しいところがあ

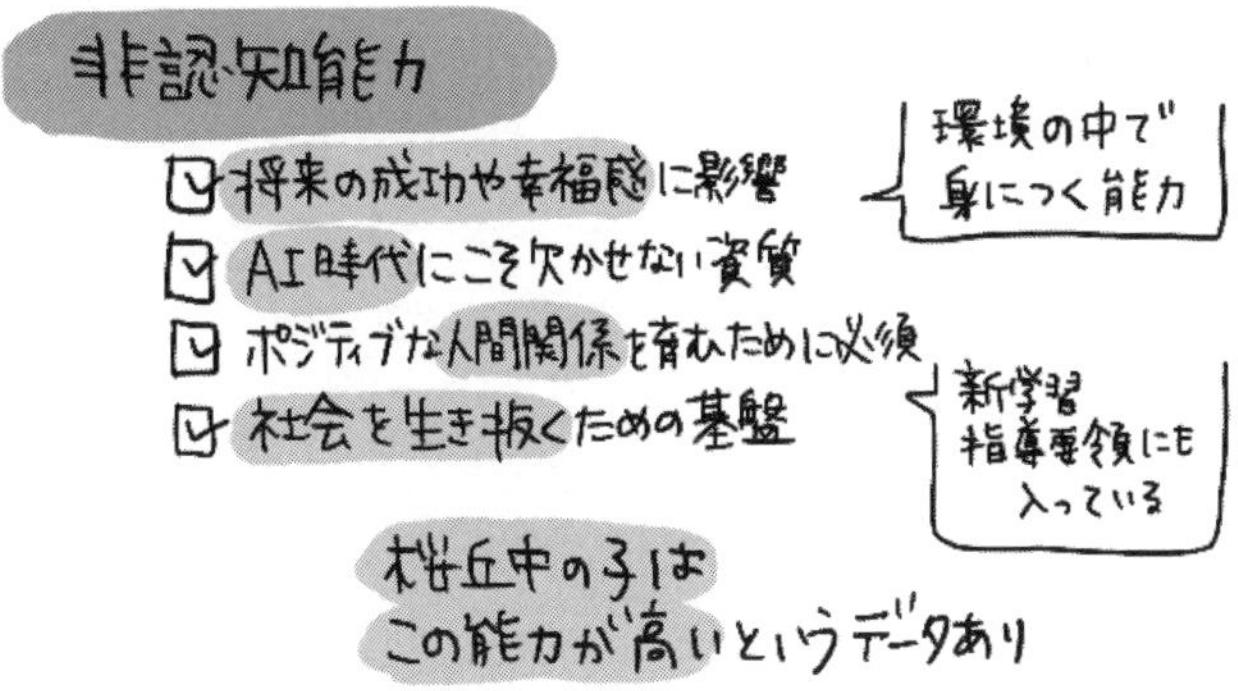
非認知能力
将来の成功や幸福感に影響
AI時代にこそ欠かせない資質
ポジティブな人間関係を育むために必須
社会を生き抜くための基盤
環境の中で身につく能力
新学習指導要領にも入っている
桜丘中の子はこの能力が高いというデータあり

ったのですが、ところがみんな、ちゃんと合格を勝ち取ってきました。つまり彼らは、「非認知能力」が優れていたわけです。

調査結果でもそれが現れています。ひとつだけ結果の例をあげると、感情の表出——楽しいときは楽しい、悲しい時は悲しい、という感情がうまく表に出せる子ほど「自ら学ぶ意欲が高い」という結果が出るそうです。桜丘中学校の子どもたちは、それが総じて高いという結果になりました。

保坂　たしかに桜丘中学校の子どもたちと話すと、他校の中学校の子たちと比べて、反応がいいですね。感情表現が豊かで表情があります。

西郷　桜丘中学校の子たちは、物怖じしませんから（笑）。

保坂　年齢的なこともあるのかもしれませんが、たいていの中学生は、感想を聞いてもモジモジするばかりで、「良いと思いました」「感動しました」と言う程度で、それ以上、会話になりません。さらにこちらから質問しても、「特に」「別に」「何も」の3文字以上の言葉が返ってこないことが多い。特に男子生徒が当てはまります。恥をかきたくない、という感情が先に立つのでしょうか。何かを発言したときに、周りから受け入れられたという経験が少なく、むしろ、目立った発言をしたことでからかわれたり、いじめられたりという友人の失敗例を見てきているのかもしれません。

西郷　みんなと違う、ということを恐れるあまり、発言もできなくなっているのでしょう。子どもたちにとって、それはとても不幸です。

注目のSTEAM教育

尾木　西郷校長は、非認知能力に注目されているということでしたが、その反対の認知能力は、いってみれば、ＡＩがやれる学力です。先ほど新井紀子さんの「東ロボくん」の話をしましたが、なぜ東ロボくんがＭＡＲＣＨの合格レベルにあるかというと、こうした大学の試験が、認知的な学力を問うているからといえます。知識を問う試験ならば、ＡＩの得意分野です。いったん入力したら忘れないわけですから。それをどうやって問題に即して取り出すかというところを研究なさっていたわけですが、そこがクリアされれば、ＡＩに人間は敵いません。世界の教育界もそのことに気づいているので、知識偏重型から脱却しようとしています。そのひとつが、文科省の指導要領の改訂だったわけです。

保坂　日本以外の国では、どんなことを試みているのですか？

尾木　代表的なのは、アメリカで誕生した「ＳＴＥＡＭ《スティーム》教育」です。

ＳＴＥＡＭとは、「科学（Science）」、「技術（Technology）」、「工学（Engineering）」、「芸術（Art）」、「数学（Mathematics）」の５つの単語の頭文字を組み合わせた造語です。

もともと、アメリカが１９９０年代に始めた、「ＳＴＥＭ《ステム》教育」が大本です。理工系の知識を統合的に学ぶ教育で、科学系の優秀な人材を生み出そうと始まったものです。ここに最近、「芸術」が加わって、ＳＴＥＡＭとなりました。文科省も２０１９年に、ＳＴＥＡＭ教育の推進をうたっています。

なぜ「芸術」が入ったか、というところが重要なポイントなんです。つまりこれが、西郷校長が注目する非認知的な力につながっていく。芸術や感性は「測ることができない力」なわけですから。それがないとこれからの時代はやっていけないということで、「芸術」が加わりました。

ハーバード大学などアメリカの超一流の大学には、美術の鑑賞という必修科目が入っていますし、大学入試で自由な小説を書かせるところも出てきました。

保坂　非常に面白いですね。

尾木　余談になりますが、アメリカではSAT（大学進学適性試験）という制度があります。かつて日本はこれをまねて、共通テストを作ったのです。

アメリカの高校生が大学を受ける場合、このSAT（もしくはACT）のスコアを提出する仕組みになっていました。ところが最近、SATの点数が、大学に入ってからの成長と一致しないということがいわれるようになってきた。

さらに、入学のためにSATを使わない大学が1000を超えました。アメリカは明らかに、AIが代替可能な認知能力から、AIが補えない非認知能力の評価へと、舵を切ったのだと思います。

大学入試改革は間違っていなかった!?

保坂　日本の共通テストも、改革をぶちあげていましたが、ご存じの通り、見直すことになりましたね。

尾木　そう。しかしダメになったことは、おかしな話です。

裏事情を話すと、萩生田光一文科相が「身の丈に合わせて」と発言したことで、一気に批判の声が挙がりましたが、あの発言が不安や不満に火をつけてしまった。あまりにも露骨な一言でしたが、本心で思っていたから出てしまったのでしょうね。

でもあの大学入試改革は、方向性そのものは間違っていないと思っています。これまでは高校で学んだことと入試で求められること、大学で学ぶことがバラバラでした。それを「高大接続」によって、高校、大学と一貫した主体的な学びを実現しようとしたんです。入試改革もその一環でした。ただし方法を間違えてしまった。制度設計が粗かったのです。

入試改革反対派の中には、「記述式だと自己採点が正確にできないから、受験生が出願先を決められずに困る」という意見がありましたね。でも、それは違う。いまの制度のままでは、ペーパーテストの点数だけで、大学の出願先を決定されてしまう。むしろ、現在の日本の子どもたちの大学進学先が、偏差値や点数によって決まっていくことのほうこそがおかしいのです。

西郷　本来、その子が「やりたい」ことや、その子が「行きたい」学校と、偏差値は関係ないですものね。

尾木　「農業のバイオテクノロジーを学びたい」と思うなら、農大か農学部へ行けばいい。東大の学部でやりたいことがあるなら、東大へ行けばいい。点数ではなく、本来は生徒とその大学や学部のマッチングの問題のはずです。極論すれば、偏差値が40であってもマッチングを重視して、かつ意欲と能力があれば入学させるべき。得点のみで選ぶべきではないのです。なのにいまは、点数できれいに輪切りにされ、受験生側も偏差値で大学や学部を選んでいるのが現状です。それは、受験生にとっても、日本の社会にとっても不幸なことです。

先日、私がテレビで「国際的にみれば、日本の大学受験制度はおかしい」と発言したのですが、そしたら出演者から「ここは日本だ！」とクレームがありました。グローバルな時代に生きているのに、「ここは日本だ！」ではもう通用するわけがありません。

吉原 経営者にも時折、そういうことを言う人がいます。変化を受け止められず、ものを考えたくない人の特徴かもしれませんね。

入試で人生は決まらない

保坂 そもそも、入試は絶対ではない。入試で人生は決まらない。そのこともう一度、確認したほうがいいと思います。入試結果で、子どもの未来は左右されません。

私は麹町中学校の出身なのですが、当時は、麹町中から日比谷高校、東大というのがエリートコースと呼ばれる王道のルートで、非常に厳しい進学校でした。その頃、学生運動のまっただ中で、東大の安田講堂事件などが起きました。そういう学生運動のデモを見に行ったことがあったのですが、教員の知るところになってしまった。自主的にガリ版で新聞を作って、自分の考えなども発表していたのですが、友だちからは「内申書に響くぞ」と心配されました。案の定、内申書には最低のC評価が並び、結局、高校は軒並み不合格。定時制高校に進んだのですが、そこで私は自己形成することができました。自分からいろんなことを学んだのです。あまりにも自由にやり過ぎて、17歳で中退してしまうのですが、この時、いろんなことを考えたことが、いまにつながっていますし、ここで「生きる力」も学んだ。はたして内申書を気にして教員の言うことを聞き、希望の高校に進んでいたとしたら、いまどうなっていたか。何も考えない人間になっていたかもしれません。

西郷　ミネルバ大学はご存じですか？　ハーバード大学より難関といわれているんですが、実は校舎がなく、世界7都市を移動しながらオンラインで授業を受ける大学です。世界中に門戸が開かれていて、入試の合格率は2％未満。そこから多くの逸材が出て、世界で活躍しています。

いま不登校の子が増えていますが、これまでは不登校の子に問題があるという考え方でした。でも、本当にそうでしょうか。私たちが、これまでの学校の形に囚われすぎているから、なじめない子どもを増やしているのではないか。日本の受験制度の歪みが、不登校につながっているのではないか。まったく新しい形の大学の登場に、そんなことを考えました。

実際、桜丘中学校の生徒は、海外に行きたいという子どもが非常に多いんです。日本の

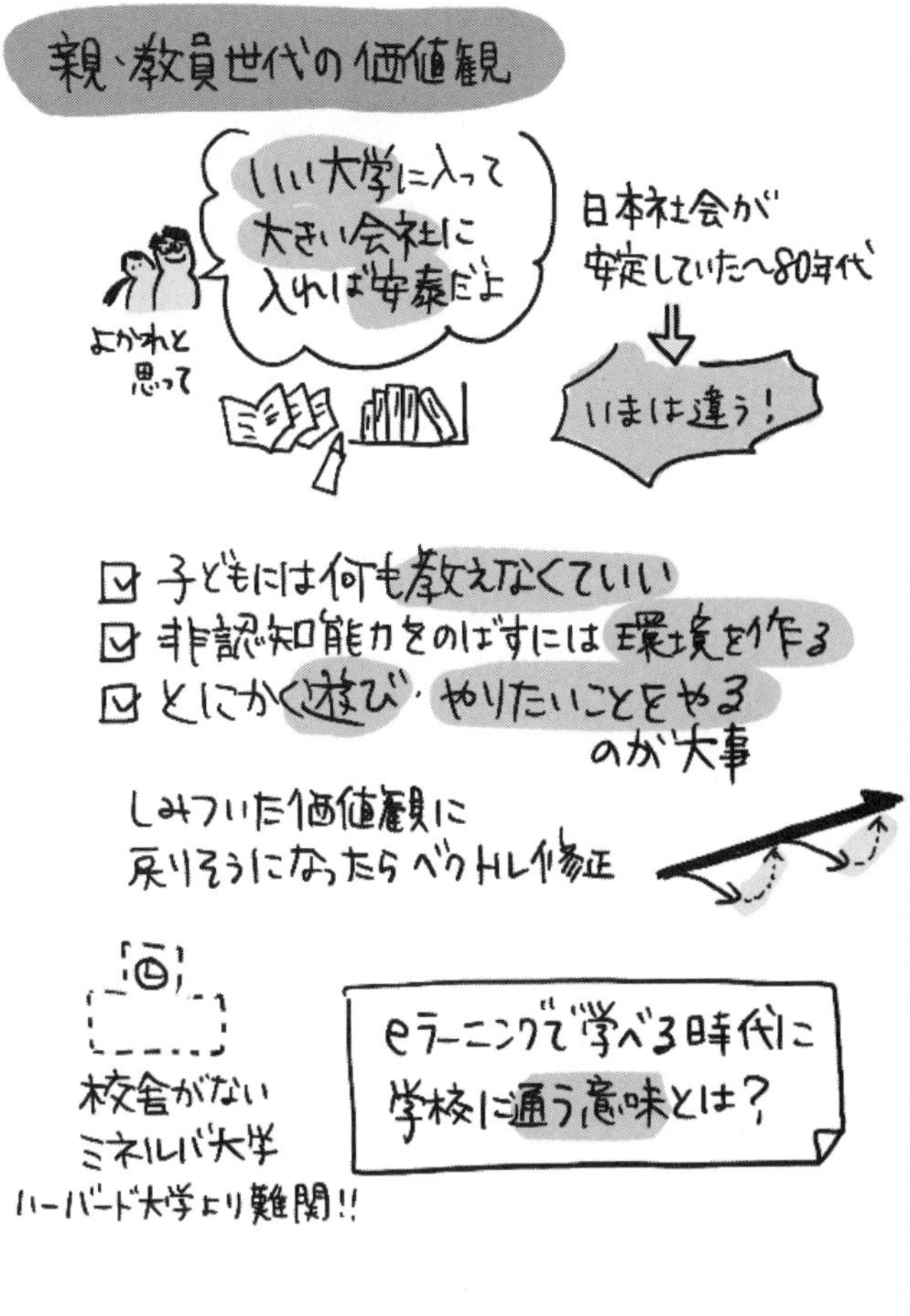
親・教員世代の価値観
いい大学に入って
大きい会社に
入れば安泰だよ
よかれと
思って
日本社会が
安定していた〜80年代
いまは違う！
☑ 子どもには何も教えなくていい
☑ 非認知能力をのばすには環境を作る
☑ とにかく遊び・やりたいことをやる
のが大事
しみついた価値観に
戻りそうになったらベクトル修正
校舎がない
ミネルバ大学
ハーバード大学より難関!!
eラーニングで学べる時代に
学校に通う意味とは？

高校自体に見切りをつけていて、中学を出たらすぐに海外に出たいという子もいます。この子たちにとって、旧態依然の日本の教育は、息苦しいだけなのでしょう。日本の受験制度が息苦しさに拍車をかけている。

本当に日本の大学に行く必要があるの？　いまの子どもたちは、そんなことを考えはじめているのです。

日本に広がるイエナプラン教育

保坂　日本の教育をどうしたらいいのか。そういう観点で、数年前に、オランダを視察してきました。オランダでは「イエナプラン教育」が普及していました。イエナプランは、インクルーシブ教育にも通ずるもので、一人ひとりの自主性・主体性を重視しています。そのため、クラス共通の時間割がなく、一人ひとりが別々のカリキュラムを選択し、学んでいます。私が視察した学校では、自分たちが学んだことを、地域の人たちにプレゼンすることが重要な課題になっていました。どことなく、桜丘中学校に似ているな、と。

尾木　オランダには本当にさまざまな学校があります。学校を選ぶ自由が確保されていますし、学校を自分たちで作る自由も、運営、理念の自由もある。

日本でも、最近はイエナプランを取り入れるところが出てきました。自治体単位でいうと広島県や長野県ではイエナプランのような学校を全県的にやっていこうと動きはじめました。

いま、面白いのは名古屋市。管理教育で有名な名古屋ですが、名古屋市の河村たかし市長のリーダーシップで、「なごや子ども応援委員会」というものが配置されました。聞くと、「さまざまな悩みや心配を抱える子どもや親を総合的に支援するため、常勤の専門職を学校現場に配置している」のだそうです。廊下の壁に貼ってあるポスターにも〝子どもの声を聞け〟と書いてあって、中学校の「子ども応援委員会」のプレートを見たとき、思わず涙が出てしまいました。いままでは、いうなれば「教員の言うことを聞け！」だったのに、それが「子どもの声を聞け」に変わったわけですから、これはうれしい変化です。

この委員会は4職種のスタッフで構成されています。スクールカウンセラー、スクールソーシャルワーカー、スクールアドバイザー、スクールポリスです。スクールポリス以外の3人は常勤で学校にいて、こどもたちを支えるだけでなく、教員のサポートも行っています。さらに、スクールカウンセラーが人手不足だと聞くや、河村市長は、名古屋市立大学大学院に、スクールカウンセラーを養成するコースを作ったのです。非常に教育に熱心で、イエナプランの学校も市内に行き渡らせたいと研修をたくさん行っています。

そういう動きが、全国のあちこちで聞こえてくるようになりました。桜丘中学校はまだ点に過ぎませんが、こういう学校が全国に増えていくと、点と点が線で結ばれる。こうなるとあっという間です。オセロの黒と白が一気にひっくり返るような、いい意味での改革が動き出すかもしれません。そういう予兆が見えてきたと思っています。

西郷　これは私にも実感があります。尾木先生の話に出た、長野と広島。それから、同じくイエナプランを取り入れている神戸（兵庫県）。最近、この3県に行く機会があったのですが、地方には危機感がありました。

広島の中学校を見学したときのことです。1年生、2年生のお行儀がよすぎるんです。一見、なんの問題もないように見えますが、「おとなしすぎる」というのは、何か問題を抱えているサインです。一方で、3年生はやんちゃというか、非常に元気がありました。聞くと、地元では3年生の評判が悪いようですが、私はむしろ、3年生は見所があると思いました。教育長もきちんとわかっていて、「3年生はいいのですが、1年生、2年生は従順すぎて、これでは問題ですよね」と話していました。

いま地方は教育に対する危機感が強い。そのぶん、活気がある。一方で東京は、「なんとかしなくちゃいけない」という危機感が薄いような気がします。いまのまま問題が起きなければそれでいい、というような消極的な空気を感じます。その点では東京がいちばん危ないかもしれませんね。

次世代へ

保坂　では最後に、次世代の子どもたち、若者たちにどんなバトンを渡したいか。未来について語っていただけますか？

吉原　私は「教育はこれをやると得になる」という、損得の観点を、まず変えるべきだと考えています。保護者の方にはぜひ、「子どもがどうやったら幸せな人生を送れるか」と考えてほしい。そうするとね、「幸せって何だろう？」と考えざるを得ないわけです。いい高校、いい大学、いい会社に入れば幸せなんだろうか。そう思いませんか？

そうやって考えてみると、子育ては、もう一度、人生について考える良い機会にもなる。子どもと一緒に成長する機会だともいえます。私自身もそうでした。

西郷校長は、「子どもたちに幸せな3年間を過ごさせたい」とおっしゃいました。これは幸せな人生を過ごすための基礎でしょう。でも、これから先は、幸せの中身も問われます。その幸せとははたして、お金なのか、権力なのか。それらを手にしたところで、それって本当に誇りのある生き方なのか。あるいは「自分自身さえ幸せであればいい」と考えるような生き方が本当に良いのか。

もし親がお金に価値を置いていれば、子どももその影響を受けるでしょう。自分さえ良ければそれでいいと思っていれば、子どももそれをまねてしまいます。では翻《ひるがえ》って、保護者のみなさんは、いまの人生が幸せでしょうか？

考え始めると、尽きません。損得ではなくて、人間として何が大切なのか。子どもたちと一緒に考えることこそ、未来につながるんじゃないかと思います。尾木先生の言うように、そこは子どもに頼ってみてもいいのではないでしょうか。

尾木　そうです、子どもに頼ればいい。「一緒に考えよう」でいいのではないでしょうか。

保坂　私も親にひとつだけ感謝していることがあって、それは一緒にテレビのニュースを観ているときに、「きみだったらどうする？」「きみはどう思う？」といつも父が聞いてくれたことです。「これが正しい！」と上から押しつけるのではなく、自分で考えることを促してくれた。これがいまの私の「考えるクセ」につながっています。

吉原　考えながら答えを探す。アクティブ・ラーニングってそういうことですよね。答えがない問題を、みんなで考える。そういう行為が、お互いに影響し合って、触発し合って、相乗効果で高め合っていく。お子さんがいるということは、「子どもと一緒に考える機会を持った」ということです。それをぜひ、生かしてほしいですね。私もそうですが、子どものアイデアに驚かされることも多い。

西郷　親は、子どもに指示をしたり、何かを教えたりする必要はありません。「教えなければいけない」とプレッシャーを感じるから、虐待などいろいろな問題が生じるのかもしれません。教員と子どもの関係もそうですが、親と子どもも同じ。上下関係ではありません。子どもから学ぶこともたくさんあります。

尾木　本当にそうですね。

西郷　思い出してほしいのですが、みなさんの中に、子どもの頃に〝大きくなったら悪い大人になりたい〟と思っていた人はいますか？　いないですよね。

そうなんです。人間はもともと〝よく生きたい〟と思う生き物です。ですから、そういう心が発動するような環境作りさえしてあげれば、子どもは放っておいても勝手に育ちます。イメージは植物ですね。いい土と水と肥料。それさえ用意してあげれば、自然に育つ。その代わり、押しつけたり、先回りしたり、過保護だったり、過干渉だったりすると、〝よく生きたい〟という思いは決して発動しません。

先ほどから話に出ている非認知能力も、教えて身につくものではありません。非認知能力が磨かれる環境を用意してあげることしかできません。逆に言うと、環境さえ整っていれば、子どもたちはどこまでも伸びていきます。

どうかそのことを、子どもの可能性を信じてあげてください。

立場は違っても、子どもが直面する問題への危機感は共通する4人。
(写真左から保坂、尾木、西郷、吉原)。

たった5%の変化で、学校も地域も変わる

保坂展人（世田谷区長、教育ジャーナリスト）

――イベントを振り返って、いかがでしたか？

「非常に盛況であったことに、驚きました。いまの保護者の方が、教育問題で悩んでいるということがよくわかりました」

――教育がどうなっていくのか、学校がどうなるのか。そして自分の子どもがどうなるのか。親であればこの不安から逃れられません。

「もちろん、その不安を解消するのが行政の仕事なのですが、一人ひとりが、もう一歩踏み込んで行動していただきたいと思っているんです」

――もう一歩、とは？

「例えば、日本は２０１６年から18歳選挙権となりました。これを機に、高校生の頃から政治について考える機会が増えるんだからいいじゃないか、と思われる人が多いでしょう。私も制度自体には反対していません。しかしこれ、お上から与えられた権利なんですね。ほかの国はというと、ティーンエージャーが〝自分たちにも選挙権が必要だ〟と声を挙げて、デモや署名運動で権利を勝ち取っているんです。これがスタンダードです。待っていれば誰かがどうにかしてくれるなんて誰も思っていない。必要だと思えば、行動に移しているんです」

——たしかに日本では、10代の声は聞こえてきませんでした。

「投票権が18歳に引き下げられてから最初の国政選挙は、参議院選挙でした（第24回／２０１６年７月10日）。このときの10代の投票率は、46・78％でした（全年齢平均54・70％）。平均は下回っていますが、20代（35・60％）を10％以上、上回っています。第１回目ということもあって、マスメディアも盛んに報道し、関心も高まったのだと思います。ところがその翌年の総選挙（第48回／２０１７年10月22日）では、40・49％まで下がり（平均53・68％）、令和元年最初の国政選挙だった参議院選挙（第25回／２０１９年７月21日）

では、32・28％にまで落ち込んでしまいました（平均48・80％）。上から与えられたものに対するありがたみは、年々減っていくのでしょう」

――もし自分たちで勝ち取った権利だったとしたら、たしかに「選挙に行かない」という思考や行動にはなりませんね。

「18歳選挙権を例に出しましたが、このことは学校や教育でもそうなんです。例えば、桜丘中学校には、いま校則がありません。これも、校長がトップダウンで決めたことではありません。西郷校長が赴任当初から〝桜丘中学校を校則のない学校にしよう〟と意気込んできたわけではないんですね。赴任時はちょっと荒れた学校だったそうです。生徒は落ち着きがなく、いじめなどの問題もあった。西郷校長は子どもたちの声に耳を傾けたうえで、手探りでやっていくうちに変わっていった。校則がなくなったのも、子どもたちの声が発端なんです」

校則をなくして得たもの

「桜丘中学校はたしかに、校則をなくしました。〝なくなった〟というところにスポットが当たり、マスメディアでも多く取り上げられました。しかし〝なくなった〟だけでしょうか」

——といいますと？

「私は、〝なくなった〟かわりに、〝増えた〟ものがあると思っているんです。何が増えたかというと、生徒の自主性です。実際、桜丘中学校の校則は、生徒の声が発端となって減っていきました。いまの桜丘中学校の生徒総会は、非常に活発だと伺いましたが、それは〝自分たちで学校を変えることができる〟とみなが思っているからでしょう。もし、生徒総会で何か意見があがったとしても、学校側が頭ごなしに否定していては、議論も活発になりませんし、〝自分たちで変えよう〟という機運は盛り上がらない。

日本の子どもたちは、諸外国に比べて元気がないと指摘されることが多いのですが、それは日本の学校教育が、この半世紀、子どもたちが話し合って校則やルールを変えることを認めてこなかったから。桜丘中学校の子どもたちは非常に元気で、自分の意見を持っていますが、この子たちが特別なのではありません。単純に、子どもたちが話し合って校則やルールを変えることのできる環境が整っているに過ぎません。言い方を換えれば、環境さえ整えれば、子どもたちは自主的にものを考え、行動するようになるのです。

こんな例があったとしましょう。

ある教室にカーテンがなかった。眩しくて授業に集中できない。〝カーテンをつけてほしい〟とある生徒が要望したとします。しかし現実問題としてすぐにカーテンはつきません。予算の問題もあり、カーテン設置が認められたとしても、実際に取り付けられるのは3年後、もしかしたら5年後になってしまうかもしれません」

——要望を出した生徒は、卒業してしまいますね。

「だったら、家にある、使っていないカーテンを持ち寄って、自分たちでつぎはぎして使おう。こんなアイデアが出たとします。このアイデアに対して、みなさんはどう思いますか？　素晴らしいと思うか。勝手に何をやっているんだと思うか」

——いまの日本では「勝手にやるのはおかしい」という意見が多いように思います。

「じゃあ誰がやるのか、ということを考えなければなりません。お上がやってくれるのを待つのではなく、自分たちで考えて動くことです」

ファミレスのメニューは誰が決める？

――自分たちで考えて動く。理想ですが一朝一夕にはいきません。どうすべきだと思いますか？

「嘆きもするし不満もあるけど、動かない。これがいまの日本ですよね？　だからといって何も手を打たなければ、何も変わりません。まずは自分たちから変わる必要があります」

――具体的には？

「自分の子どもが、自分たちで考えて動く子になることを目指してみてはいかがでしょうか。身近なことで言うと、家族でファミリーレストランに行ったとします。子どもは小学生です。小学生の子どものメニューを決めるのは誰ですか？　子どもに任せると時間がかかります。〝あなたはこれにしなさい〟と親が決めてはいませんか？　これを続けていくと、大人になってから〝自分たちで考えて動きなさい〟と言われても無理でしょう。いまの小学生の放課後は、塾や習い事でびっしりです。たまに塾が休みで、放課後の時間がぽっかり空いてしまったとします。そうなると何をしていいかわからない子が増えたと聞きます。

何事もそうでしょうが、自分でやろうと思ったことには集中します。誰かに言われて強制的にやる場合は、やる気も出ない。であれば、親ができることは、子どものやる気を待つことだけです。ファミレスでメニューを決めるのを待つように、気長に待つしかありません。子どもは成長の過程で、無駄な寄り道をたくさんするでしょう。私も寄り道だらけでした。でも寄り道すること自体が子どもにとっては必要なのです。それを大切にしてあげてほしい」

——そのうちに自発的に自分で決めて行動するようになる、ということですね？

「私の小学校の6年生のときの話ですが、担任の先生に交渉して自由な1時間をもらったことがあるんです。その1時間を使って、そのときクラスで問題になっていたことを話し合いました。出た結論は〝ボールを使った遊びは危ないからダメ〟。自分たちでルールを作ったんです。もしこのルールが、先生が決めたことだったら、また違ったでしょう。〝自分たちで決めた〟というところに価値があった。校則もそうです。これらは全部押しつけです。しかも合理的な意味を持たない校則も多い。

桜丘中学校は、生徒総会をきっかけに、定期テストを廃止しました。しかし最近の生徒総会では、定期テストを復活すべきではないか、という意見も出たと聞きます。自分たちで考えて、動いていますよね」

声を挙げる

――いまの保護者に望むことは？


「学校教育でいうと、保護者の方が先生や学校に期待することは当然だと思います。中には〝西郷校長みたいな校長先生がうちの学校にも来てくれないかな〟と思う人がいるかもしれない。スーパー校長が赴任してきて学校を変えてくれ、というような。ですが、期待が叶わなかったときにどうするか、ということが大事なんだと思います。あきらめてしまいますか？　私は、あきらめてほしくありません。

民主主義社会の中において、学校教育は聖域ではありません。学校教育に対し、リクエストする力や権利は、保護者にもあるはずです。まずは声を挙げてほしい。クレームを入れろ、ということじゃないですよ。〝いいことをやってるな〟と思ったら、ぜひ声に出して褒めてください。そうすればそれが定着します。〝これはおかしいな〟と思ったら、やっぱり声に出してください。そのことが、考える契機になります」

——しかし声に出したところで何も変わらないとあきらめている人もいます。

「黒が一夜にして白になるようなことはありません。そもそも、100%変える必要がありますか？　そうではないはずです。私は、〝5%変わればいい〟という気持ちでいつも行動しています」

——5%だけでいいのですか？

「私は5%の変化が、人に大きな影響を与えると信じています。例えば桜丘中学校もいろいろ変わったと人は言いますが、西郷校長が赴任してきたばかりの10年前といまを比べても、全部がガラッと変わったわけではありません。定期テストはなくなったといっても、それに代わる小テストや実力テストは残っています。服装も自由化されましたが、制服は標準服として残り、まるまる廃止されたわけじゃない。チャイムは鳴りませんが、授業は時間通りに始まります。実は数えたら、変わっていないことのほうが、多いのではないでしょうか」

――少しの変化でも大きいのですね。

「それにわずか5%といっても、1年に5%ずつ変わっていったとしたらどうでしょうか。西郷校長は、桜丘中学校に10年いましたから、1年目に5%改革したとすれば、95%が残ります。その95%を2年目に5%改革して……と10年続けていくと、約4割を改革した計算になります。これは政治も同じで、私は2011年4月に世田谷区長になって、現在3期目。2020年4月で丸9年になります。毎年5%の割合で改革が進めば、9年と考えれば4割近く変わったことになります。こう考えると、5%は大きいですよね。そしてこの5%を変えていくのは、みなさんの声なのです。

イベントでは、吉原さんをはじめ、登壇した方が口々に〝自分の頭で考える〟ことの重要性を口にされました。実際、いまの子どもたちには、そうした力が求められるでしょう。しかしそれは同時に、保護者の方にも求められています。住みやすい街、楽しい学校を作っていくのは、ほかの誰でもない、私たちなのです」

第四章

親の〝不安〟、その先の〝希望〟

親の声・子どもの気持ち――イベントアンケートからわかったこと

「桜丘中学校ミライへのバトン～選びたくなる、公立学校とは？～」主催

選びたくなる公立学校を考える会・橋本陽子

同・鈴木紅子

２０１９年11月30日のことです。桜丘中学校のすぐお隣、東京農業大学の講堂をお借りし、西郷校長のほか、尾木直樹さん、吉原毅さん、ファシリテーターに保坂展人世田谷区長を招いてイベント『桜丘中学校ミライへのバトン～選びたくなる、公立学校とは～』を行いました。主催したのは、私たち桜丘中学校に通う子どもを持つ保

護者の有志と、地域の公立学校の保護者です。そして地域の方が大勢ボランティアで会場運営をサポートしてくれました。

それがどんな中身だったかは、第一～三章で読んでいただいた通りです。当日の反響も大きく、たくさんのアンケートが返ってきました。それをご紹介する前に、なぜ私たち保護者が、こうした会を開こうと思ったのか、まずはお話しさせてください。

中学校に投じられた〝一石〟

最近、桜丘中学校がメディアの取材を受けるようになり、学校の取り組みが注目されています。一方で「桜丘中のような自由を許していたら、とんでもない子どもになる」という声も少なからず耳にします。「うちの子は自立していないから、桜丘中のような学校に通わせると、楽なほうに流される。だから厳しく管理してほしい」と自分の子が通う中学校に申し入れる親御さんもいらっしゃるそうです。

私たちはこうした声を耳にして、悲しくなりました。

〝とんでもない子どもになる〟とはどういうことでしょうか？

私たち大人は、子どもが育つミライを理解できているのでしょうか？

不安に駆られ焦りを感じているのは、実は大人のほうではないかと思っています。

私たちも、自分の子どもが中学校に進学する直前まで、「桜丘中でうちの子は大丈夫かな」という不安がありました。でも――わが子は２０２０年春に卒業したのですが――この3年間で、他者に対する柔軟性と自分に対して期待感を持てる人に成長できたと感じています。入学前には想像していなかった、親の期待する、はるか先まで歩んでいったような気がしています。

私たちは「桜丘中学校だけが特別な学校」と思っているわけではありません。

なんの変哲もない公立中学校が、校長先生の〝子どもの主体性を何より大切にする〟という信念をきっかけに、生徒も、先生も、保護者も、そして地域までもがじわじわ変わっていったのです。まるで池に投げ込まれた小さな石が、波紋を広げていくように、いつの間にか学校全体に、校長先生の〝一石〟の影響が行き渡っていたのです。そうやって、大きく変わったのでした。

そのお陰で、わが子も周りの子どもたちも、ぐんと成長できた。もちろん成長過程の子どもたちですから、日々いろいろな事件も起きたりしていますが（笑）。

たまに学校に顔を出すと、いつも笑い声があふれています。どの子も楽しそうにしています。小さなことですが、親にとってはこれがいちばんうれしいことですよね。

桜丘中学校は、「校則がない」「服装が自由」などが注目されていますが、本当にすごいのは〝自分も何かできるのではないだろうか？〟と思わせてくれる学校の雰囲気そのものだと思っています。これこそ子どもたちが望む学校の姿ではないでしょうか？（私たちも、〝自分も何かができる〟に感化され、このようなイベントを開いてしまったのかもしれません）

こうした桜丘中学校の取り組みを大勢に知ってもらえないだろうか。
こんな学校を望んでいる人たちに伝えることができないだろうか。
桜丘中学校のような学校がいろいろなところで増えれば、きっと「学校が楽しくない」と悩む子どもも、そんなわが子を見て不安になったり落ち込んだりする親も減るんじゃないだろうか。

　これらが私たちがイベントを企画した大きな理由です。

8割の参加者が思いを綴ったアンケート

　イベントは予想を上回る大盛況で、定員1000人だったのですが、キャンセル待ちも出たほどでした。

　今回のイベントでは、参加者の意見をぜひ伺いたいと考えていました。そこで当日、会場でアンケート用紙を配布し、また後日送信できるようにインターネットのアンケートフォームも準備。その結果驚くことに、8割もの人が記入してくれたのです。大人の方だけでなく、小学生や中学生も書いてくれました。大学生もいました。

　そこには、イベントの感想だけでなく、いまの教育に対する疑問や子育ての悩み、あるいは生きづらさ、そして未来への希望が書かれていました。私たち自身、アンケートを通して、いろいろなことに気づかされました。その中から、いくつかをご紹介したいと思います。

特に反応が多かったのは、「同調圧力」についてでした。

「日本の学校をおかしくしているのは〝同調圧力〟だという指摘に、本当にそうだと思いました。大人の私も、会社や地域の中で、これに苦しんでいます。大人が同調圧力にがんじがらめになっているから、子どもにもそれを強いているのかもしれません」(30代・保護者)

「子どもの良い部分を、〝みんなと違う〟という理由で潰していました。家に帰ったらすぐに、〝あなたはそのままでいいんだよ〟と抱きしめてあげたいです」(40代・保護者)
「同調圧力という言葉に、日本の古い価値観が反映されていると思いました。そして同調圧力の延長線上に校則があり、

それがさらにいじめを生んでいるとは！」

（50代・保護者）

「自分の子がいじめで不登校になりました。学校に相談に行くと、学校長から、〝原因は、お子さんに協調性がないことです〟と言われました。いま思うとこれが同調圧力なのですね。でも私は、学校長の言葉をそのまま鵜呑みにしていました。自分の子どもを信じなかったことで、子どもを追い込んでしまったんだと思います」（40代・保護者）

子どもたちからも、たくさんメッセージを受け取りました。

「休み時間は必ず外で遊ぶというルールが

あって、教室にいると注意されます。休み時間に一緒に遊ぶほど仲のいい友達がいないので、毎日グラウンドの隅をウロウロしています。休み時間がいやです」（小学生）

「（いじめる子は）規則を盾にしているという話に、すごく共感しました」（中学生）

そして小学生からはこんなたのもしい意思表明も。

「同調圧力に負けるわけにいかない！」（小学生）

「学校の先生は校則を〝守れ！〟と強制するのでとても窮屈でいやです。一方的に〝守れ！〟という先生もそういう学校も、みんなから嫌われているのに、いつまで続けるんでしょうか。そんな先生から〝君たちは最高の最高学年だ〟と言われても、正直よくわかりません」（小学生）

西郷校長によれば、「同調圧力は、〝人と違う〟ことを許しません。〝みんな同じ〟であることを強制する。だからそれが、いじめにつながっていく」のだそうです。

みんなが「同調圧力に負けない」と思えば、「みんな違っていい」社会が、きっと訪れますよね。

「私たち親が変わる必要がある」

イベント参加者の約8割が、お子さんをお持ちの方でしたが、自分の子育てを反省する人も多かったようです。

「子どもが小学校に上がる前までは、のびのびと育ててきたつもりでしたが、小学校に入った途端に、約束や決まりごとをたくさん作って、子どもをがんじがらめにしてきました。ルールを作ることで、私自身が子どもをラクして管理しようとしていたことに気づきました」（30代・保護者）

「子どもの声にきちんと耳を傾けていただろうか。ガミガミばかり言ってないだろうか。

「親としては、子どものために何かをしてあげたい。でもそれが、実はマイナスだったんですね。黙って見守ろうと思いました」（30代・保護者）

「いちばん変わらなくちゃいけないのは、社会でも学校でもなく、親の私たちなんですね」（30代・保護者）

「子どもといつでも話し合える環境を家の中につくりたいと思いました」（40代・保護者）

「子どもが、自分で考える力を持っていると信じる。それが発揮されるのを待ってあげる。親の意識を変えなければならないと思いました」（30代・保護者）

「自分の育った時代の教育観に縛られていたことに気づきました。〝変わらない〟ことが大事なんじゃなくて、勇気をもって〝変えていく〟ことが大事なんですね。私たち親が、もっと社会のことを知る必要があると思いました」（40代・保護者）

「子どもを型にはめるんじゃなくて、やりたいことをやらせてあげることが大事だと気づかされました」（30代・保護者）

私たちも日々反省の連続です。

桜丘中学校で西郷校長に接して学んだことは、親の考えが絶対ではないということ。尾木先生もおっしゃっていましたが、子どもを信じて、もっと子どもに頼ってもいいのかもしれません。

「ああしろ」「こうしろ」と親の考えを押しつけるのではなく、子どもと一緒に考える。すぐに答えは出ないかもしれませんが、きっとそのことが大事なんだと思います。

桜丘中学校は生徒の自主性の結晶

桜丘中学校の在校生からも、たくさんの声が届きました。
彼らには、「自分たちの学校」という自負があります。
「この学校を作ってきたのは、西郷校長先生ら先生だけではありません。ぼくたち生徒も作ってきたことを知ってほしいのです。桜丘中学校は、いまはもう卒業した先輩たちが生徒総会で必死に討論して作り上げてきた、生徒の自主性の結晶でもあるのです」（3年男子）
「学校は勉強するだけの場所じゃないとぼくは思います。桜丘中学校には、いろいろなこ

とに挑戦できる場所があります」（3年男子）

「〝中学生に自由なんていらない〟などという大人の心ない声があることを知りました。それに強い怒りを感じます。何も知らない大人が批判することでこの桜丘中学校から自主性が奪われるなんてことがあったら、ぼくは絶対に許しません」（3年男子）

　自由だからこそ、子どもたちは自分で考え、自分で悩みます。

「桜丘中学校の良いところは、プログラミングや音楽、オシャレなど勉強以外のことで活躍できる場があることです。いわゆるそれぞれの〝個性〟を発揮することができます。でも私はバンドも組んでいないしピアスもしていません。ただの受験勉強をする中学生です。自分はもっと個性的でいるべきなのかな。勉強ばかりしてるつまらないやつかな。そう考えてしまうこともあります」（3年女子）

「今日の話を聞いて、この中学がいかに非凡で、いかに自由で、いかに魅力的かがよくわかりました。私はいままで自分で自分を制限して、行動に対してあまりに慎重になっていましたが、これからは変化を恐れず、周りを恐れず、やりたいことをやっていこうと思います」（2年女子）

頼もしく感じます。こういう子たちが育った、桜丘中学校のような公立中学校が、全国に増えていくことを期待しています。

＊イベント後に寄せられたアンケートやご意見を、プライバシーに充分配慮したうえで、一部抜粋・要約のうえ紹介しています

当コーナーイラスト／鈴木紅子

研究発表レポート・非認知能力を中学校教育に生かす試み

西郷孝彦

学校教育はこれまで、数値化できる「学力」を重視してきました。でも、子どもたちを見ていると、テストができるからといって、それが必ずしもその子の「生きる力」とイコールではないんですね。ちょっとしたつまずきや挫折に、ポキッと折れてしまう子どもも多い。例えば受験勉強でも、最後まで粘れる子、自主的に勉強のできる子は、総じて「人間力」とでもいうべき力を持っています。

ではどうやったら「人間力」を育むことができるか。

そのひとつの解、ひとつの可能性として、「非認知能力」に興味を抱きました。149ページでも触れていますが、非認知能力とは、コミュニケーション能力や感情を制御する能力、さらには自尊感情や粘り強さといった、「社会情緒的能力」を指します。

非認知能力を高める教育は、幼少期ほど効果があるといわれています。しかし私は子どもたちを日々見ているうちに、「中学生にもこうした教育が間に合うのではないか」という仮説を立てました。

実は桜丘中学校は、非認知能力を高めるために必要なことを、学校の経営方針にして、教員に徹底しています。それは次の６つです。

①子どもが言うことを否定しない
②子どもの話を聞いてあげる
③子どもに共感する
④アタッチメントなど子どもとのふれあいを積極的に行う
⑤能力ではなく、努力を褒める
⑥行動を強制しない

意識的に、非認知能力を高める教育を行ってきたのですが、実際、どうなったか。

東京大学大学院教育学研究科の利根川明子さんと大久保圭介さんのおふたりに、桜丘中学校の生徒たちの調査・検証をお願いしました。

自ら学べる子は学力も高くなる

学習に取り組む姿勢に関わる非認知能力の調査を行った利根川明子さんからは、「桜丘中学の生徒は自ら学ぶ意欲が高い、という結果が出ている」という報告がありました。

左ページの表は、「自律的学習動機（自ら進んで学ぶ意欲）」を整理したものです。この「内的調整」や「同一化的調整」は、自律的な学習意欲が育まれている、ということになります。自律的な学習意欲というのは、非認知能力のひとつです。一方で、「取り入れ的調整」や「外的調整」は他律的。親や教員に言われたから渋々やっている、というのがこれですね。他律的な側面だけが強いと、学力も伸びにくいそうです。

「自律性の高い学習意欲は、学業成績の高さと関連します。また子どもたちの勉強に対するストレスが少なくなったり、無気力になりにくくなったり、楽しみながら学習に取り組

自己に関わる力 —自律的学習動機—

自律性	区分	調整スタイル	理由（例）
自律的	内発的動機づけ	内的調整	勉強がおもしろいから
↕	外発的動機づけ	同一化的調整	自分にとって大切だから 将来の役に立つから
		取り入れ的調整	良い成績をとって、 他人に認められたいから
他律的		外的調整	しないと怒られるから
非動機づけ		調整なし	—

自律的学習動機とは、〝自ら進んで学ぶ意欲〟のこと。自律性の高い児童・生徒ほど学業成績が良く、精神健康度も高い。

出典：Deci&Ryan（2002）、西村・河村・櫻井（2011）に基づき作成

むことができるようになる、ということが実証されています」（利根川さん）

桜丘中学校は全体に内的調整が高く、どの学年も、参考値として示した中学生の平均の値を上回っていたそうです（199ページ上図）。

ではどうしたら、「自ら進んで学ぶ意欲」（＝自律的学習動機）を高めることができるのでしょうか。

注目すべきは、「感情の表出」との相関関係でした。

「一般的には小学生と比べて、中学生、高校生と成長するにしたがって、感情を表さなくなる傾向があります。しかし、ポジティブ感情もネガティブ感情も、桜丘中学校はどの学年もその

数値が、私たちが調査した小学生の平均値を上回っています（左ページ下図）。つまり自分の気持ちを教室の中でオープンに表すことができている、ということでしょう。ネガティブな気持ちも含め、感情を包み隠すことなく互いに共有できているということが、この中学校のひとつの特徴でしょう。

この数値をクラスごとに分け、感情表出と自律的学習動機を分析したところ、非常に面白い結果となりました。ポジティブな感情表出が多い学級に所属する生徒ほど、内的調整、同一化的調整、取り入れ的調整の得点が高かったのです。この結果は、クラスや学校の中のオープンな感情表出によって、自律的学習動機（自ら学ぶ意欲）が高まる可能性を示唆しています」（利根川さん）

クラスで友だちをサポートする

さらに、他者の「感情サポート」も大事なのだそうです。

かいつまんでいえば、自分の感情を表現するには、それを受け止めてくれるクラスメイトや教員が必要だということです。受け止めてくれるという安心感が、感情表出につなが

自律的学習動機（自ら進んで学ぶ意欲）が高い

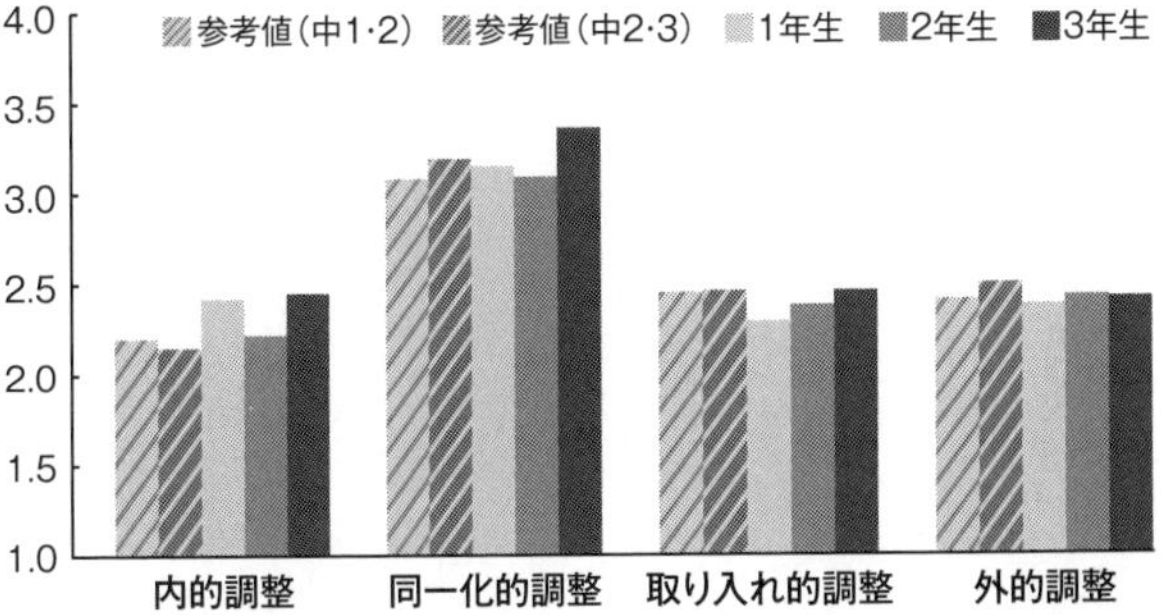

※参考値：関東圏の11校の中学生約3,000名の回答の平均値（国立教育政策研究所「質問紙調査結果に見る我が国児童生徒の意欲·態度等に関する調査研究に関する調査研究報告書」2019年）

2019年度桜丘中調査より

1·3年生は「内的調整」（〝勉強がおもしろいからやる〟という動機づけ）の得点が高く、3年生は「同一化的調整」（〝自分にとって大切だからやる〟という動機づけ）の得点も高い。〝褒められたい〟〝しないと叱られる〟といった「取り入れ的調整」や「外的調整」の動機づけは低い。

喜怒哀楽など感情が表に出やすい —感情表出—

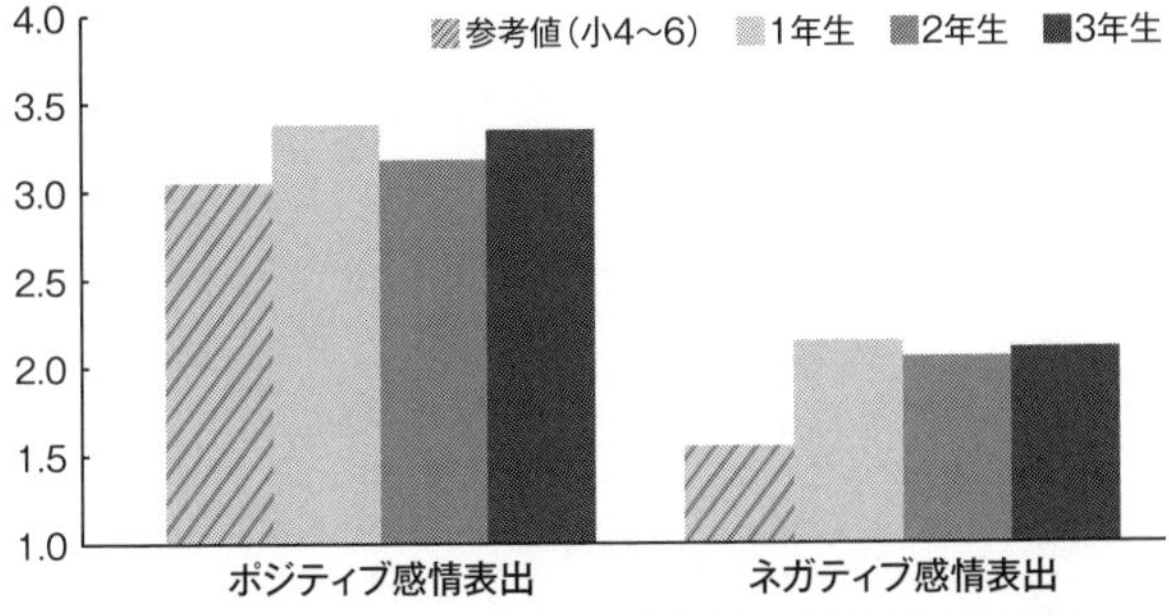

※参考値：利根川（2016）の調査で対象となった小学生（約2,000名）の回答の平均値

2019年度桜丘中調査より

学級での「ポジティブ感情の表出」「ネガティブ感情の表出」がいずれも多い。つまり、仲間の前で喜怒哀楽などの感情を素直に出すことができる生徒が多い。

る。特にポジティブな感情表出の高さは、自律的学習動機と関連しますから、教員やクラスメイトが感情を受け止めてくれると感じるクラスほど、内的調整、同一化的調整、取り入れ的調整が高いという相関関係がみられるという結果になります。

そして桜丘中学校は、相対的にこの「感情サポート」が高いという数字が出ているそうです。これは非常にうれしい調査結果ですね。「誰もが安心して過ごせる居場所」をつくろうとしてきたことが実を結んで、結果に表れているということですから。

先日、こんなことがありました。

3年生のあるクラスです。授業中にひとりの女子生徒が紙で指を切ってしまった。すると、「痛っ！」という声に気づいた後ろの席の女子生徒が、「絆創膏を持ってるよ」と声をかけました。困っている人を見つけたからすぐに声に出す。素直な感情の表出です。

指を切った子は席を立って、後ろの子から絆創膏をもらいました。それで席に戻ると、前の席の男子生徒が振り向いて、絆創膏を受け取ると剝きはじめました。指を切っているから自分では剝けないわけです。女子生徒も「ありがとう」と言って、指に貼ってもらっている。

それが非常に自然な流れで行われていたのです。さも当たり前のようにね。感情の表出も、サポートも、自然にできていた。見ていて、とてもうれしい光景でした。

自尊感情が高い桜丘中学校の子どもたち

続いて、「子どもの精神的な健康と先生との関係」についての調査結果報告です。2018年12月、2019年7月と2度調査していますので、2、3年生は得点の変化をみることができます。

まずは「自尊感情」。一般的には「自己肯定感」と呼ばれることもあります。

「桜丘中学校の傾向として、2年生も3年生も自尊感情の得点が前回よりも上がっています。この年（2019年）の1年生は、前年の1年生が2018年12月に調査したときの得点よりもかなり高い生徒が多く、学年が上がるにつれてさらに上がる傾向が見られると思います。

参考値として示した関東圏11校の回答の平均の値と比較しても、全体的に自尊感情の得点が高くなっています（次ページ上図）」（大久保さん）

自尊感情が高い

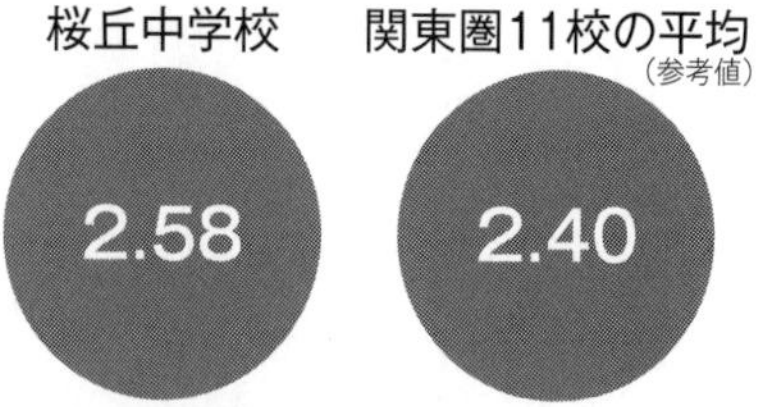

※4点満点換算

※参考値：関東圏の11校の中学生約3,000名の回答の平均値〈国立教育政策研究所「非認知的（社会情緒的）能力の発達と科学的検討手法についての研究に関する報告書」2017年〉

2019年度桜丘中調査結果より

関東圏11校の平均より桜丘中の生徒の自尊感情が高く、学年が上がるにつれ値が高くなる。

未来を見据えていて困難を乗り越えていける生徒が多い

—レジリエンス—

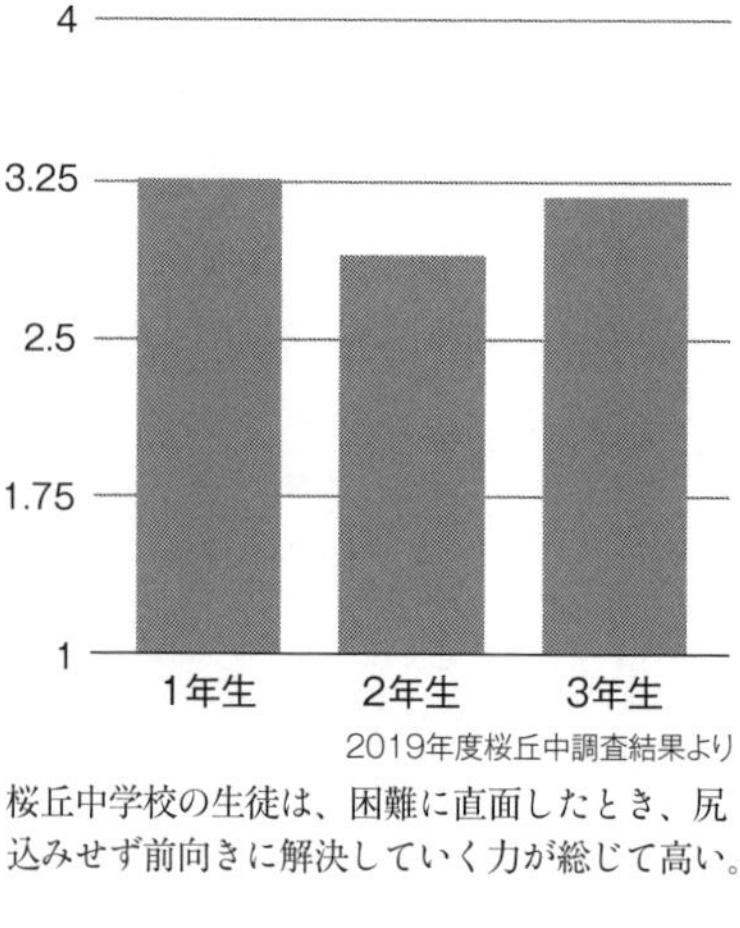

2019年度桜丘中調査結果より

桜丘中学校の生徒は、困難に直面したとき、尻込みせず前向きに解決していく力が総じて高い。

続いてレジリエンス。レジリエンスというのは、〝困難な状況から立ち直り未来に向かっていく力〟のことです。

「レジリエンスを4点満点でみたとき、桜丘中は全体的に3点ぐらいと、平均的にレジリエンス傾向を備えている生徒が多いことがわかりました」（大久保さん）

日本の子どもは自己肯定感が低い

いま、日本の子どもたちの自己肯定感の低さが問題になっています。「自分を大切にする力」というのは、非認知能力の大きな柱ですから、自己肯定感が低いということは、非認知能力も低い、ということを意味しています。

日本、韓国、アメリカ、イギリス、ドイツ、フランス、スウェーデンの計7か国の満13～29歳の若者を対象とした意識調査があるのですが、「自分自身に満足している」と答えた日本の若者は、半分に達していません（45・8％）。その他6か国は軒並み70％を超えており、最も高いアメリカは87％です（内閣府「平成25年度　我が国と諸外国の若者の意識に関する調査」）。残念ながら、日本の若者の自己肯定感の低さは、世界の中でも突出しているのです。

世田谷区の「子どもの生活と人権意識」に関する調査（小5、中2の2600人に実施／2011年）によれば、「自分自身が好き？」という質問に対し、小学5年生は半分しか「はい」と答えていません。中学2年生になると、それが3分の1に減ってしまいます。

教育を受ければ受けるほど、自信がなくなってしまっているのです。

では桜丘中学校はどうでしょうか。

「この学校の生徒の特徴として、非常に自尊感情の得点が高く、レジリエンスも高いし、抑うつ度も低い」（大久保さん）という調査結果が出ました。

これはひとつの大きな結果だと思っています。以上の調査結果は、私を勇気づけてくれました。

また、これが完成形というわけではありませんが、この結果は、桜丘中学校が長きにわたって実践してきた、①子どもが言うことを否定しない、②子どもの話を聞いてあげる、③子どもに共感する、④アタッチメントなど子どもとのふれあいを積極的に行う、⑤能力ではなく、努力を褒める、⑥行動を強制しない、という6つの学校経営方針が、効果をあげているということにほかなりません。言い換えれば、非認知能力は、中学生でも育むことができるということです。

これは、学校に限った話ではありません。

この6つを、ご家庭で実践してみたらどうなるでしょうか。もしも、家庭でも学校でも同様に実践できたならば、もっと効果があがるのではないか。そんなふうに考えています。

知っておきたいイマドキ教育用語集（50音順）

【アクティブ・ラーニング】

これまでのように教員が一方的に知識を注入するのではなく、生徒が主体的に問題を発見し、解を見出していく学習方法。受け身ではない能動的な学びが特徴。能動的学習、参加型学習、探求学習などともいう。実際の授業は、グループワーク、ディスカッション、リフレクション（自己の活動内容を振り返って評価すること）、ディベートなどにより進められる。日本の大学で2000年頃から導入が検討され、2008年に文部科学省の中央教育審議会で提言された。「平成29・30・31年改訂　学習指導要領」でも「主体的・対話的で深い学び」と表現され、その重要性がうたわれている。

【イエナプラン教育】

ドイツの教育学者ペーターゼンが1924年にドイツで始めた教育モデル。①異なる年齢のクラス編成、②リビングルームとしての教室、③健常児も障害児もともに学習する（インクルーシブ教育）、④科目ごとの時間割がなく、「対話」「遊び」「仕事」「催し」の4つを循環させて組み立てる、などが特徴。オランダで特に普及し、2019年には長野県に日本初のイエナプラン教育の私立小学校が誕生した。その後、広島県に公立小学校も開校している（2022年）。

【インクルーシブ教育】

2006年に「障害者の権利に関する条約」（障害者権利条約）が国連で制定されて以降、積極的に推し進められてきた教育。障害の有無にかかわらず一般的な教育を受けることのできる制度のもと、個別に合理的な配慮をしながら、すべての子どもがともに学ぶことができる教育をインクルーシブ教育という。日本は2014年に障害者権利条約を批准し、本格的なインクルーシブ教育は始まったばかり。

【ＡＩ（エーアイ）】（Artificial Intelligence）

人間の頭脳の働きをコンピュータによって実現しようとした人工知能。ＡＩのうち、データの特徴を学習することで規則性やルールを見つけることを「機械学習」といい、データから自ら特徴を見出し、予測や分類を行うものを「深層学習（ディープラーニング）」という。２０１６年にはディープラーニングの「アルファ碁」が、世界のトップレベルの棋士に完勝。ＡＩの発達で、すでに産業構造の変化、同時に教育界の変化が始まっている。

【ＳＤＧｓ（エスディージーズ）】

２０１５年９月の国連総会で採択された「持続可能な開発目標」、Sustainable Development Goalsの略語。２０１６年から２０３０年までに世界が達成すべき、「貧困や飢餓の根絶」「質の高い教育の実現」「女性の社会進出の促進」「再生可能エネルギーの利用」などの17の環境や開発に関する国際目標を定めている。日本は２０１９年に世界15位となり、２０２１年には18位に順位を下げた。（順位はＳＤＳＮ／世界のＳＤＧｓ達成度ランキングによる）。

【ＬＧＢＴｓ（エル・ジー・ビー・ティーズ）】

レスビアン／女性同性愛者（Lesbian）、ゲイ／男性同性愛者（Gay）、バイセクシュアル／両性愛者（Bisexual）、トランスジェンダー／性同一性障害者（Transgender）などの頭文字をとった、性的マイノリティーの総称。ほかにも、クエスチョニング／自己のジェンダーや性同一性、性的指向を探している状態（Questioning）、アセクシャル／他者に対して恋愛感情や性的感情を持たない（Asexual）、Ｘジェンダー／性自認が男性でも女性でもない（X-gender）などがあり、ＬＧＢＴに複数形を表すｓをつけて表す。学校教育でもＬＧＢＴｓへの配慮が求められている。

【学習指導要領】

どのような教科や活動を、どの学年で、どのように教育するかについての基準的事項を、国の立場から示したもの。小学校は２０２０年度、中学校は２０２１年度、高校は２０２２年度から新しい学習指導要領がスタート。文科省は、〈学校で学んだことが、子供たちの「生きる力」となって、明日に、そしてその先の人生につながってほしい〉とうたう。

【ＣＬＩＬ（クリル）】

英語だけを用いて家庭科で料理を学ぶなど、英語などの語学学習とほかの教科学習を統合した教育法のこと。内容言語統合型学習ともいう。Content and Language Integrated Learningの略語。

【高大接続改革】

これまでの教育は、高校で学ぶこと、入試で求められること、大学で学ぶこと、社会に出て求められることがバラバラで、一貫性がなかった。ＡＩの台頭など予見の困難な時代の中で、「新たな価値を創造していく力」を育てることが必要だと考えた文部科学省は、２０１６年３月に「高大接続」という方向性を打ち出す。高校と大学をアクティブラーニングの場に変える、という試みである。大学入試は、高校と大学を接続する大きな要素であり、「大学入試改革」は「高大接続改革」の延長線上にある。

【合理的配慮】

一人ひとりの特徴や場面に応じて発生する障害・困難さを取り除くための、個別の調整や変更のことを、法律用語で「合理的配慮」という。「障害を理由とする差別の解消の推進に関する法律」（障害者差別解消法）で義務づけられている。例えば障害を理由に、学校の受験や入学を拒否することは、合理的配慮に欠けた「不当な差別的取り扱い」となる。

【STEAM（スティーム）教育】

「科学（Science）」「技術（Technology）」「工学（Engineering）」「芸術（Art）」「数学（Mathematics）」の5つの頭文字をとった造語で、これら5つの分野を統合的に学習する。アメリカで始まった教育法で、当初はSTEM教育といい、科学系の人材を生み出すためのものだったが、芸術を加えることで創造性をプラスした。アメリカのオバマ大統領（当時）が2011年の一般教書演説でSTEM教育を国家戦略としたことで注目を集めた。

【大学入試改革】

「高大接続改革」の要として、大学入試改革が打ち出された。「大学入試センター試験」にとってかわり、2020年度より「大学入学共通テスト」に移行する。大きな柱は、①国語と数学で記述式問題を導入、②英語4技能（読む・聞く・話す・書く）を適切に評価するため民間等が実施する英語資格・検定試験の活用、の2つ。これまでの知識偏重の試験から、「学力の3要素」（①知識・技能、②思考力・判断力・表現力、③主体性を持って多様な人々と協働して学ぶ態度）を問う試験への移行がうたわれた。しかし，試験の客観性や採点体制の不備，利権関係の不透明さが指摘されてきたことに加えて，文科相の「身の丈」発言が追い打ちをかけたことで、目玉となっていた英語の民間試験や国語と数学の記述式問題の導入が見送りに。一方、2025年1月より、現行の6教科30科目から新設の「情報」を加えた7教科21科目に再編されることが発表された。

【非認知能力】

「自己に関わる心の力」（自尊感情、忍耐力、動機づけ、自己効力感、達成目標、最後までやり抜く力など）、「社会性に関わる心の力」（共感性、向社会性、感情知性、コミュニケーション能力など）、「セルフコントロール」（目標のために気持ちをコントロールする力など）といった個人の能力を、社会情緒的能力という。ＩＱ（知能指数）や学力などの認知能力以外の心の性質という意味で非認知的能力ともいわれ、国際的な関心が高まっている。非認知能力の高さが将来の学歴や雇用、収入、幸福感などに影響することも研究から明らかになっている。

【ミネルバ大学】
「高等教育の再創造」を掲げ、２０１４年に創立されたばかりの全寮制の4年制総合大学。校舎もテストもなく、講義はすべてオンラインかつアクティブ・ラーニング。世界から集う学生が全寮制で学びあい、クラスは20名以下の少人数制。４年間でサンフランシスコやソウル、ロンドンや台北など世界7都市を巡る。合格率は２％未満で、「ハーバード大学以上の難関」といわれている。

【みんなの学校】

不登校ゼロを目指す大阪市立大空小学校の1年間を追ったドキュメンタリー映画（2015年2月公開／真鍋俊永監督）。木村泰子校長（当時）を中心に、「すべての子に居場所のある学校を！」と、児童、教員、保護者、地域の人々が協力して学校を作り上げていく姿が描かれる。この学校では、特別支援教育の対象となる子も、自分の気持ちをうまくコントロールできない子も、みんなが同じ教室で学ぶ。参考書籍に『「みんなの学校」が教えてくれたこと〜学び合いと育ち合いを見届けた3290日〜』（小学館）など。現在も全国各地で上映会が開催されている（http://minna-movie.jp/）。

【ユニバーサルデザイン教育】

ユニバーサルデザインとは、障害者、高齢者など特定の人々に対しての障害を取り除くということだけでなく、すべての人にとって使いやすい製品や環境などのデザインのこと（例／ノンステップバス）。こうした考え方を教育に取り入れ、「学びのユニバーサルデザイン（Universal Design for Learning）」とも。インクルーシブ教育と同様の意味で使われる。

おわりに——みんな違っていい

残念なことに国際的な紛争や対立が各地で続いています。

なぜでしょうか。原因ははっきりしています。お金の亡者たちが、宗教や歴史、文化、風習などの多様性を認めない人々を上手に利用しています。「違いがあるからいいよね」という考えに立てば、そのような守銭奴らに利用されることもなく、争いは起きません。多様性を認め合うことで初めて、コミュニケーションが成立するのではないでしょうか。グローバル時代といわれて久しいですが、必要なのは、争いに勝つ力ではありません。「ダイバーシティ＝多様性」に対する理解と容認です。

私たちの住む日本でもそうです。一人ひとり考え方も違えば見た目も違う。それが「個性」です。そうした違い＝個性を無視して、「みんなおんなじ」とひとくくりにしてしまうからおかしくなる。「同調圧力」というやつですね。

学校教育もそうです。特にここ最近の義務教育の現場は、子どもたちに横並びを強いてきました。みんなと同じにできない子が、教員から注意されたり、いじめの対象になったりすることもあります。本当に「みんなおんなじ」ことが大事なのでしょうか。

私はそう思いません。

この本に出てくる全員がめいめいに語ったことも、「みんな違っていい」ということでした。むしろ、これからの時代は――特に世界と張り合うならば、「みんなと違う」ことのほうが大事になってくるのです。

「みんな違っていい」と考えれば、学校は変わります。家庭も変わります。きっと日本社会も変わります。そうやって子ども一人ひとりを尊重し、育めば、これまで見えていなかった才能や創造性の発掘にもつながっていくでしょう。

子どもの中には無限の可能性があります。環境さえ整えてあげれば、自分自身で芽を出し、花を咲かせようと伸びていきます。自由を与えれば、自分で思考を深めます。

教員が上から押しつけるような指導をする必要はありません。親が先回りする必要もありません。人生に失敗はつきものだと思って、決して干渉せずに、その子のことを優しく見守ってあげてください。そうすればきっと、その子は自分の中の可能性に気づきます。
何より子どもの人生は、その子どものものであるべきです。彼らの人生は、学校や親のものではありません
自分で考え、行動すること。それこそ、子どもの本懐ではないでしょうか。私は子どもの本懐が遂げられる社会になることを切に希望します。

2020年4月吉日　西郷孝彦

本書の第一～三章は、２０１９年11月30日に東京・世田谷の東京農業大学で行われた講演「桜丘中学校ミライへのバトン～選びたくなる公立学校とは？～」をもとに、大幅加筆・修正を行ったものです。本文中に引用したデータは一部加筆を除いて初版刊行時の著者の見解や分析を活かすため、二刷りでも元のままとしています。ただし、「知っておきたいイマドキ教育用語集」については、変更や進展があった箇所を中心に加筆・修正しています。なお、肩書きや呼称は講演当時のものです。

西郷孝彦［さいごう・たかひこ］

1954年横浜生まれ。上智大学理工学部を卒業後、1979年より都立の養護学校（現：特別支援学校）をはじめ、教員、教頭を歴任。2010年、世田谷区立桜丘中学校長に就任し、生徒の発達特性に応じたインクルーシブ教育を取り入れ、校則や定期テストの廃止、個性を伸ばす教育を推進。2020年3月をもって退職。近著に『校則なくした中学校　たったひとつの校長ルール』（小学館）がある。

尾木直樹［おぎ・なおき］

1947年滋賀県生まれ。教育評論家、法政大学名誉教授、臨床教育研究所「虹」所長。中高の教師として、22年間子どもを主役とした教育実践を展開、その後法政大学教授など22年間大学教育に携わる。「尾木ママ」の愛称で親しまれ、NHK Eテレ『ウワサの保護者会』など、多数のテレビ番組で活躍。『尾木ママと考える！ ぼくらの新道徳1いじめのこと』（小学館）で指導・監修を行うなど著書多数。

吉原 毅［よしわら・つよし］

1955年東京都生まれ。麻布学園卒業後、慶應義塾大学経済学部に進学。城南信用金庫に入職し、2010年より同庫の理事長に就任。2015年に相談役、2017年に顧問に。東日本大震災以降、被災地支援を精力的に行い、2017年に全国組織「原発ゼロ・自然エネルギー推進連盟」を創設、会長に就任。同年より麻布学園理事長となる。著書に『信用金庫の力　人をつなぐ、地域を守る』（岩波ブックレット）が。

図版・ＤＴＰ／ためのり企画
撮影／浅野 剛
イラスト／湯朝かりん（グラフィックレコーダー）
用語解説監修／大久保圭介（東京大学大学院教育学研究科）
校正／くすのき舎、丸山顕応
企画／橋本陽子
構成／角山祥道
取材／角山祥道・伏見友里
編集／堀米 紫

「過干渉」をやめたら子どもは伸びる

二〇二〇年　四月七日　初版第一刷発行
二〇二二年　五月二一日　　第二刷発行

著者　西郷孝彦
　　　尾木直樹
　　　吉原 毅

発行人　川島雅史

発行所　株式会社小学館
〒一〇一－八〇〇一　東京都千代田区一ツ橋二ノ三ノ一
電話　編集：〇三－三二三〇－五五八五
　　　販売：〇三－五二八一－三五五五

印刷・製本　中央精版印刷株式会社

Printed in Japan ISBN978-4-09-825370-8